L'ÉCUME DES JOURS

PAR

Boris VIAN

suivi de

UN LANGAGE-UNIVERS

PAR

Jacques BENS

J.-J. PAUVERT

© J.-J. Pauvert, 1963
ISBN 2-264-00932-2

A mon bibi

AVANT-PROPOS

Dans la vie, l'essentiel est de porter sur tout des jugements a priori. Il apparaît, en effet, que les masses ont tort, et les individus toujours raison. Il faut se garder d'en déduire des règles de conduite : elles ne doivent pas avoir besoin d'être formulées pour qu'on les suive. Il y a seulement deux choses : c'est l'amour, de toutes les façons, avec des jolies filles, et la musique de la Nouvelle-Orléans ou de Duke Ellington. Le reste devrait disparaître, car le reste est laid, et les quelques pages de démonstration qui suivent tirent toute leur force du fait que l'histoire est entièrement vraie, puisque je l'ai imaginée d'un bout à l'autre. Sa réalisation matérielle proprement dite consiste essentiellement en une projection de la réalité, en atmosphère biaise et chauffée, sur un plan de référence irrégulièrement ondulé et présentant de la distorsion. On le voit, c'est un procédé avouable, s'il en fut.

La Nouvelle-Orléans.
10 mars 1946.

I

Colin terminait sa toilette. Il s'était enveloppé, au sortir du bain, d'une ample serviette de tissu bouclé dont seuls ses jambes et son torse dépassaient. Il prit à l'étagère de verre, le vaporisateur et pulvérisa l'huile fluide et odorante sur ses cheveux clairs. Son peigne d'ambre divisa la masse soyeuse en longs filets orange pareils aux sillons que le gai laboureur trace à l'aide d'une fourchette dans de la confiture d'abricots. Colin reposa le peigne et, s'armant du coupe-ongles, tailla en biseau les coins de ses paupières mates, pour donner du mystère à son regard. Il devait recommencer souvent, car elles repoussaient vite. Il alluma la petite lampe du miroir grossissant et s'en rapprocha pour vérifier l'état de son épiderme. Quelques comédons saillaient aux alentours des ailes du nez. En se voyant si laids dans le miroir grossissant, ils rentrèrent prestement sous la peau et, satisfait, Colin éteignit la lampe. Il détacha la serviette qui lui ceignait les reins et passa l'un des coins entre ses doigts de pied pour absorber les dernières traces d'humidité. Dans la glace, on pouvait voir à qui il ressemblait, le blond qui joue le rôle de Slim dans *Hollywood Canteen*. Sa tête était ronde, ses oreilles petites, son nez droit, son teint doré. Il souriait souvent d'un sourire de bébé, et, à force, cela lui avait fait venir une fossette au menton. Il était assez grand, mince avec de longues jambes, et très gentil. Le nom de Colin lui convenait à peu près. Il parlait doucement aux filles et joyeusement aux garçons. Il était presque toujours de bonne humeur, le reste du temps il dormait.

Il vida son bain en perçant un trou dans le fond de la baignoire. Le sol de la salle de bains, dallé de grès cérame jaune clair, était en pente et orientait l'eau vers un orifice situé juste au-dessus du bureau du locataire de l'étage inférieur. Depuis peu, sans prévenir Colin, celui-ci avait changé son bureau de place. Maintenant, l'eau tombait sur son garde-manger.

Il glissa ses pieds dans des sandales de cuir de roussette et revêtit un élégant costume d'intérieur, pantalon de velours à côtes vert d'eau très profonde et veston de calmande noisette. Il accrocha la serviette au séchoir, posa le tapis de bain sur le bord de la baignoire et le saupoudra de gros sel afin qu'il dégorgeât toute l'eau contenue. Le tapis se mit à baver en faisant des grappes de petites bulles savonneuses.

Il sortit de la salle de bains et se dirigea vers la cuisine, afin de surveiller les derniers préparatifs du repas. Comme tous les lundis soir, Chick venait dîner, il habitait tout près. Ce n'était encore que samedi, mais Colin se sentait l'envie de voir Chick et de lui faire goûter le menu élaboré avec une joie sereine par Nicolas, son nouveau cuisinier. Chick, comme lui célibataire, avait le même âge que Colin, vingt-deux ans, et des goûts littéraires comme lui, mais moins d'argent. Colin possédait une fortune suffisante pour vivre convenablement sans travailler pour les autres. Chick, lui, devait aller tous les huit jours au ministère, voir son oncle et lui emprunter de l'argent, car son métier d'ingénieur ne lui rapportait pas de quoi se maintenir au niveau des ouvriers qu'il commandait, et c'est difficile de commander à des gens mieux habillés et mieux nourris que soi-même. Colin l'aidait de son mieux en l'invitant à dîner toutes les fois qu'il le pouvait, mais l'orgueil de Chick l'obligeait d'être prudent, et de ne pas montrer, par des faveurs trop fréquentes, qu'il entendait lui venir en aide.

Le couloir de la cuisine était clair, vitré des deux côtés, et un soleil brillait de chaque côté, car Colin aimait la lumière. Il y avait des robinets de laiton soigneusement astiqués, un peu partout. Les jeux des soleils sur les robinets produisaient des effets féeriques. Les souris de la cuisine aimaient danser au son des chocs des rayons de soleil sur les robinets, et couraient après les petites boules que formaient les rayons en achevant de se pulvériser sur le sol, comme des jets de mercure jaune. Colin caressa une des souris en passant, elle avait de très longues moustaches noires, elle était grise et mince et lustrée à miracle. Le cuisinier les nourrissait très bien sans les laisser grossir trop. Les souris ne faisaient pas de bruit dans la journée et jouaient seulement dans le couloir.

Colin poussa la porte émaillée de la cuisine. Le cuisinier Nicolas surveillait son tableau de bord. Il était assis devant son pupitre également émaillé de jaune clair et qui portait des cadrans correspondant aux divers appareils culinaires alignés le long des murs. L'aiguille du four électrique, réglé pour la dinde rôtie, oscillait entre « presque » et « à point ». Il allait être temps de la retirer. Nicolas pressa un bouton vert, ce qui déclenchait le palpeur sensitif. Celui-ci pénétra sans rencontrer de résistance, et l'aiguille atteignit « à point » à ce moment. D'un geste rapide, Nicolas coupa le courant du four et mit en marche le chauffe-assiettes.

— Ce sera bon ? demanda Colin.

— Monsieur peut en être sûr ! affirma Nicolas. La dinde était parfaitement calibrée.

— Quelle entrée avez-vous préparé ?

— Mon Dieu, dit Nicolas, pour une fois, je n'ai rien innové. Je me suis borné à plagier Gouffé.

— Vous eussiez pu choisir un plus mauvais maître ! remarqua Colin. Et quelle partie de son œuvre allez-vous reproduire ?

— Il en est question à la page 638 de son *Livre de cuisine*. Je vais lire à Monsieur le passage en question.

Colin s'assit sur un tabouret au siège capitonné de caoutchouc alvéolé, sous une soie huilée assortie à la couleur des murs, et Nicolas commença en ces termes :

— Faites une croûte de pâté chaud comme pour une entrée. Préparez une grosse anguille que vous couperez en

11

tronçons de trois centimètres. Mettez les tronçons d'anguille dans une casserole, avec vin blanc, sel et poivre, oignons en lames, persil en branches, thym et laurier et une petite pointe d'ail.

— Je n'ai pas pu l'aiguiser comme j'aurais voulu, dit Nicolas, la meule est trop usée.

— Je la ferai changer, dit Colin.

Nicolas continua :

— Faites cuire. Retirez l'anguille de la casserole et remettez-la dans un plat à sauter. Passez la cuisson au tamis de soie, ajoutez de l'espagnole et faites réduire jusqu'à ce que la sauce masque la cuillère. Passez à l'étamine, couvrez l'anguille de sauce et faites bouillir pendant deux minutes. Dressez l'anguille dans le pâté. Formez un cordon de champignons tournés sur le bord de la croûte, mettez un bouquet de laitances de carpes au milieu. Saucez avec la partie de la sauce que vous avez réservée.

— D'accord, approuva Colin. Je pense que Chick aimera ça.

— Je n'ai pas l'avantage de connaître M. Chick, conclut Nicolas, mais s'il ne l'aime pas, je ferai autre chose la prochaine fois, et cela me permettra de situer, avec une quasi-certitude, l'ordre spatial de ses goûts et de ses dégoûts.

— Voui!... dit Colin. Je vous quitte, Nicolas. Je vais m'occuper du couvert.

Il prit le couloir dans l'autre sens et traversa l'office pour aboutir à la salle à manger-studio, dont le tapis bleu pâle et les murs beige-rose étaient un repos pour les yeux ouverts.

La pièce, de quatre mètres sur cinq environ, prenait jour sur l'avenue Louis-Armstrong par deux baies allongées. Des glaces sans tain coulissaient sur les côtés et permettaient d'introduire les odeurs du printemps lorsqu'il s'en rencontrait à l'extérieur. Du côté opposé, une table de chêne occupait l'un des coins de la pièce. Deux banquettes à angle droit correspondaient à deux des côtés de la table et des chaises assorties à coussins de maroquin

12

bleu garnissaient les deux côtés libres. Le mobilier de cette pièce comprenait, en outre, un long meuble bas, aménagé en discothèque, un pick-up du plus fort module et un meuble, symétrique du premier, contenant les lance-pierres, les assiettes, les verres et les autres ustensiles que l'on utilise pour manger chez les civilisés.

Colin choisit une nappe bleu clair assortie au tapis. Il disposa, au centre de la table, un surtout formé d'un bocal de formol à l'intérieur duquel deux embryons de poulet semblaient mimer le *Spectre de la Rose*, dans la chorégraphie de Nijinsky. A l'entour, quelques branches de mimosa en lanières : un jardinier de ses amis l'obtenait par croisement du mimosa en boules avec le ruban de réglisse noir que l'on trouve chez les merciers en sortant de classe. Puis il prit, pour chacun, deux assiettes de porcelaine blanche croisillonnées d'or transparent, un couvert d'acier inoxydable aux manches ajourés, dans chacun desquels une coccinelle empaillée, isolée entre deux plaquettes de plexiglas, portait bonheur. Il ajouta des coupes de cristal et des serviettes pliées en chapeau de curé; ceci prenait un certain temps. A peine achevait-il ces préparatifs que la sonnette se détacha du mur et le prévint de l'arrivée de Chick.

Colin effaça un faux pli de la nappe et s'en fut ouvrir.

— Comment vas-tu? demanda Chick.

— Et toi? répliqua Colin. Enlève ton imper et viens voir ce que fait Nicolas.

— Ton nouveau cuisinier?

— Oui, dit Colin. Je l'ai échangé à ma tante contre l'ancien et un kilo de café belge.

— Il est bien? demanda Chick.

— Il a l'air de savoir ce qu'il fait. C'est un disciple de Gouffé.

— L'homme de la malle? s'enquit Chick horrifié, et sa petite moustache noire s'abaissait tragiquement.

— Non, ballot, Jules Gouffé, le cuisinier bien connu!

— Oh, tu sais! Moi..., dit Chick, en dehors de Jean-Sol Partre, je ne lis pas grand-chose.

Il suivit Colin dans le couloir dallé, caressa les souris et mit, en passant, quelques gouttelettes de soleil dans son briquet.

— Nicolas, dit Colin en entrant, je vous présente mon ami Chick.

— Bonjour, monsieur, dit Nicolas.

— Bonjour, Nicolas, répondit Chick. Est-ce que vous n'avez pas une nièce qui s'appelle Alise?

— Si, monsieur, dit Nicolas. Une jolie jeune fille, d'ailleurs, si j'ose introduire ce commentaire.

— Elle a un grand air de famille avec vous, dit Chick. Quoique, du côté du buste, il y ait quelques différences.

— Je suis assez large, dit Nicolas, et elle est plus développée dans le sens perpendiculaire, si Monsieur veut bien me permettre cette précision.

— Eh bien, dit Colin, nous voici presque en famille. Vous ne m'aviez pas dit que vous aviez une nièce, Nicolas.

— Ma sœur a mal tourné, Monsieur, dit Nicolas. Elle a fait des études de philosophie. Ce ne sont pas des choses dont on aime se vanter dans une famille fière de ses traditions...

— Eh..., dit Colin, je crois que vous avez raison. En tout cas, je vous comprends. Montrez-nous donc ce pâté d'anguille...

— Il serait dangereux d'ouvrir le four actuellement, prévint Nicolas. Il pourrait en résulter une dessiccation consécutive à l'introduction d'air moins riche en vapeur d'eau que celui qui s'y trouve enfermé en ce moment.

— Je préfère avoir, dit Chick, la surprise de le voir pour la première fois sur la table.

— Je ne puis qu'approuver Monsieur, dit Nicolas. Puis-je me permettre de prier Monsieur de bien vouloir m'autoriser à reprendre mes travaux?

— Faites, Nicolas, je vous en prie.

Nicolas se remit à sa tâche, qui consistait en le démoulage d'aspics de filets de sole, contisés de lames de truffes, destinés à garnir le hors-d'œuvre de poisson. Colin et Chick quittèrent la cuisine.

— Prendras-tu un apéritif? demanda Colin. Mon pianocktail est achevé, tu pourrais l'essayer.

— Il marche? demanda Chick.

— Parfaitement. J'ai eu du mal à le mettre au point, mais le résultat dépasse mes espérances. J'ai obtenu à partir de la *Black and Tan Fantasy,* un mélange vraiment ahurissant.

— Quel est ton principe? demanda Chick.

— A chaque note, dit Colin, je fais correspondre un alcool, une liqueur ou un aromate. La pédale forte correspond à l'œuf battu et la pédale faible à la glace. Pour l'eau de Seltz, il faut un trille dans le registre aigu. Les quantités sont en raison directe de la durée : à la quadruple croche équivaut le seizième d'unité, à la noire l'unité, à la ronde la quadruple unité. Lorsque l'on joue un air lent, un système de registre est mis en action, de façon que la dose ne soit pas augmentée — ce qui donnerait un cocktail trop abondant — mais la teneur en alcool. Et, suivant la durée de l'air, on peut, si l'on veut, faire varier la valeur de l'unité, la réduisant, par exemple au centième, pour pouvoir obtenir une boisson tenant compte de toutes les harmonies au moyen d'un réglage latéral.

— C'est compliqué, dit Chick.

— Le tout est commandé par des contacts électriques et des relais. Je ne te donne pas de détails, tu connais ça. Et d'ailleurs, en plus, le piano fonctionne réellement.

— C'est merveilleux! dit Chick.

— Il n'y a qu'une chose gênante, dit Colin, c'est la pédale forte pour l'œuf battu. J'ai dû mettre un système d'enclenchement spécial, parce que lorsque l'on joue un morceau trop « hot », il tombe des morceaux d'omelette dans le cocktail, et c'est dur à avaler. Je modifierai ça. Actuellement, il suffit de faire attention. Pour la crème fraîche, c'est le sol grave.

— Je vais m'en faire un sur *Loveless Love,* dit Chick. Ça va être terrible.

— Il est encore dans le débarras dont je me suis fait un atelier, dit Colin, parce que les plaques de protection ne sont pas vissées. Viens, on va y aller. Je le réglerai pour deux cocktails de vingt centilitres environ, pour commencer.

Chick se mit au piano. A la fin de l'air, une partie du panneau de devant se rabattit d'un coup sec et une rangée de verres apparut. Deux d'entre eux étaient pleins à ras bord d'une mixture appétissante.

— J'ai eu peur, dit Colin. Un moment, tu as fait une fausse note. Heureusement, c'était dans l'harmonie.

— Ça tient compte de l'harmonie? dit Chick.

— Pas pour tout, dit Colin. Ce serait trop compliqué. Il y a quelques servitudes seulement. Bois et viens à table.

II

— Ce pâté d'anguille est remarquable, dit Chick. Qui t'a donné l'idée de le faire?

— C'est Nicolas qui en a eu l'idée, dit Colin. Il y a une anguille — il y avait, plutôt — qui venait tous les jours dans son lavabo par la conduite d'eau froide.

— C'est curieux, dit Chick. Pourquoi ça?

— Elle passait la tête et vidait le tube de pâte dentifrice en appuyant dessus avec ses dents. Nicolas ne se sert que de pâte américaine à l'ananas et ça a dû la tenter.

— Comment l'a-t-il prise? demanda Chick.

— Il a mis un ananas entier à la place du tube. Quand elle avalait la pâte, elle pouvait déglutir et rentrer sa tête ensuite, mais, avec l'ananas, ça n'a pas marché, et plus elle tirait, plus ses dents entraient dans l'ananas, Nicolas...

Colin s'arrêta.

— Nicolas quoi? dit Chick.

— J'hésite à te le dire, ça va peut-être te couper l'appétit.

— Va donc, dit Chick, il ne m'en reste presque plus.

— Nicolas est entré à ce moment-là et lui a sectionné la tête avec une lame de rasoir. Ensuite, il a ouvert le robinet et tout le reste est venu.

— C'est tout? dit Chick. Redonne-moi du pâté. J'espère qu'elle a une nombreuse famille dans le tuyau.

— Nicolas a mis de la pâte à la framboise pour voir... dit Colin. Mais, dis-moi, cette Alise dont tu lui parlais...?

— Je l'envisage en ce moment, dit Chick. Je l'ai rencontrée à une conférence de Jean-Sol. Nous étions tous les deux à plat ventre sous l'estrade et c'est comme ça que je l'ai connue.

— Comment est-elle?

— Je ne sais pas décrire, dit Chick. Elle est jolie...

— Ah!... dit Colin.

Nicolas revenait, il portait la dinde.

— Asseyez-vous donc avec nous, Nicolas, dit Colin. Après tout, comme disait Chick, vous êtes presque de la famille.

— Je vais d'abord m'occuper des souris, si Monsieur n'y voit pas d'inconvénient, dit Nicolas. Je reviens, la dinde est découpée... La sauce est là...

— Tu vas voir, dit Colin. C'est une sauce à la crème de mangue et au genièvre, cousue dans des paupiettes de veau tissées. Tu presses dessus et ça sort en filets.

— Supérieur! dit Chick.

— Tu ne voudrais pas me donner une idée de la façon dont tu t'y es pris pour entrer en relations avec elle?... poursuivit Colin.

— Eh bien... dit Chick, je lui ai demandé si elle aimait Jean-Sol Partre, elle m'a dit qu'elle faisait collection de ses œuvres... Alors, je lui ai dit : — « Moi aussi... » — Et, chaque fois que je lui disais quelque chose, elle répondait : — « Moi aussi... » —, et vice versa... Alors, à la fin, juste pour faire une expérience existentialiste, je lui ai dit : — « Je vous aime beaucoup » — et elle a dit : — « Oh! »

— L'expérience avait raté, dit Colin.

— Oui, dit Chick. Mais elle n'est pas partie tout de même. Alors, j'ai dit : — « Je vais par là » — et elle a dit : — « Pas moi » — et elle a ajouté : — « Moi je vais par là. »

— C'est extraordinaire, assura Colin.

— Alors j'ai dit : — « Moi aussi », — dit Chick. Et j'ai été partout où elle a été...

— Comment ça s'est-il terminé? dit Colin.

— Euh!. . dit Chick. C'était l'heure d'aller au lit...

Colin s'étrangla et but un demi-litre de bourgogne avant de se remettre.

— Je vais à la patinoire avec elle demain, dit Chick. C'est dimanche. Tu viens avec nous? Nous choisissons le matin pour qu'il n'y ait pas beaucoup de monde. Ça m'ennuie un peu, remarqua-t-il, parce que je patine mal, mais nous pourrons parler de Partre.

— J'irai... promit Colin. J'irai avec Nicolas... Il a peut-être d'autres nièces...

III

Colin descendit du métro, puis remonta les escaliers. Il émergea dans le mauvais sens, et contourna la station pour s'orienter. Il prit la direction du vent avec un mouchoir de soie jaune et la couleur du mouchoir, emportée par le vent, se déposa sur un grand bâtiment, de forme irrégulière, qui prit ainsi l'allure de la patinoire Molitor.

Vers lui, c'était la piscine d'hiver. Il la dépassa et par la face latérale, pénétra dans cet organisme pétrifié, en traversant un double jeu battant de portes vitrées à barres de cuivre. Il tendit sa carte d'abonnement, qui fit un clin d'œil au contrôleur à l'aide de deux trous déjà perforés. Le contrôleur répondit par un sourire complice, n'en ouvrit pas moins une troisième brèche dans le bristol orange, et la carte fut aveugle. Colin la remit sans scrupule dans son portecuir en feuilles de Russie et prit, à gauche, le couloir tapis-de-caoutchouté qui desservait les rangées de cabines. Il n'y avait plus de places au rez-de-chaussée. Il monta donc l'escalier de béton, croisant des êtres grands, car montés sur lames métalliques verticales, qui s'efforçaient à des cabrioles d'allure naturelle, malgré l'empêchement évident. Un homme à chandail blanc lui ouvrit une cabine, encaissa le pourboire qui lui servirait pour manger car il avait l'air d'un menteur, et l'abandonna dans cet in-pace après avoir, d'une craie négligente, tracé les initiales du client sur un rectangle noirci disposé, à cet effet, à l'intérieur de la cabine. Colin remarqua que l'homme n'avait pas une tête d'homme, mais de pigeon, et ne

18

comprit pas pourquoi on l'avait affecté au service de la patinoire plutôt qu'à celui de la piscine.

Il montait de la piste une rumeur ovale, que la musique des haut-parleurs, disséminés tout autour, rendait complexe. Le piétinement des patineurs n'atteignait pas encore le niveau sonore des moments d'affluence où il présente une analogie avec le bruit des pas d'un régiment dans de la boue giclant sur du pavé. Colin cherchait des yeux Alise et Chick, mais ils ne paraissaient pas sur la glace. Nicolas devait le rejoindre un peu plus tard; il avait encore affaire à la cuisine pour préparer le repas de midi.

Colin défit les lacets de ses chaussures et s'aperçut que les semelles étaient parties. Il tira de sa poche un rouleau de taffetas gommé, mais il n'en restait pas assez. Il disposa alors les chaussures dans une petite mare qui s'était formée sous la banquette de ciment et les arrosa d'engrais concentré afin que le cuir repousse. Il enfila une paire de chaussettes de laine à larges bandes jaunes et violettes alternées, et mit ses souliers de patinage. La lame de ses patins se divisait en deux vers l'avant, pour lui permettre des changements de direction plus aisés.

Il sortit, redescendit un étage. Ses pieds se tordaient un peu sur les tapis de caoutchouc perforé qui garnissaient les couloirs bétonnés. Au moment de se hasarder sur la piste, il dut remonter en toute hâte les deux marches de bois pour éviter de choir : une patineuse, à la fin d'un magnifique grand-aigle, venait de laisser tomber un gros œuf qui se brisa contre les pieds de Colin.

Pendant qu'un des varlets-nettoyeurs venait en ramasser les fragments épars, Colin aperçut Chick et Alise qui aboutissaient à la piste de l'autre côté. Il leur fit un signe qu'ils ne virent pas et s'élança à leur rencontre, mais sans tenir compte du mouvement giratoire. Il en résulta la formation rapide d'un considérable amas de protestants, auxquels vinrent s'agglomérer, de seconde en seconde, des humains qui battaient l'air désespérément de leurs bras, de leurs jambes, de leurs épaules et de leurs corps entiers avant de s'effondrer sur les premiers chus. Le soleil ayant fait fondre la surface, ça clapotait en dessous du tas.

En peu de temps, les neuf dixièmes des patineurs étaient rassemblés là et Chick et Alise disposaient de la piste pour eux seuls, ou à peu près. Ils s'approchèrent de la masse grouillante, et Chick, reconnaissant Colin à ses patins bifides, l'extirpa de l'ensemble en le saisissant par les chevilles. Ils se serrèrent la main. Chick présenta Alise et Colin se mit à la gauche de celle-ci dont Chick occupait déjà le flanc dextre.

Ils se rangèrent en arrivant à l'extrémité droite de la piste pour laisser place aux varlets-nettoyeurs, qui, désespérant de retrouver, dans la montagne de victimes, autre chose que des lambeaux sans intérêt d'individualités dissociées, s'étaient munis de leurs raclettes pour éliminer le total des allongés, et fonçaient vers le trou à raclures en chantant l'hymne de Molitor, composé en 1709 par Vaillant-Couturier et qui commence ainsi :

Messieurs et Mesdames,
Veuillez évacuer la piste,
(S'il vous plaît)
Pour nous permettre de
Procéder au nettoyage...

Le tout, ponctué de coups de klaxon destinés à entretenir, au fond des âmes les mieux trempées, un frisson d'incoercible terreur.

Les patineurs encore debout, applaudirent à cette initiative, et la trappe se referma sur l'ensemble. Chick, Alise et Colin firent une courte prière et reprirent leur agitation.

Colin regardait Alise. Elle portait, par un hasard étrange, un sweat-shirt blanc et une jupe jaune. Elle avait des souliers blancs et jaunes et des patins de hockey. Elle avait des bas de soie fumée et des socquettes blanches repliées sur le haut des chaussures à peine montantes et lacées de coton blanc, faisant trois fois le tour de la cheville. Elle comportait, en outre, un foulard de soie vert vif et des cheveux blonds extraordinairement touffus, encadrant son visage d'une masse frisée serrée. Elle regardait au moyen d'yeux bleus ouverts et son volume était limité par une peau fraîche et dorée. Elle possédait des bras et des mollets ronds, une taille fine et un buste si bien dessiné que l'on eût dit une photographie.

Colin se mit à regarder de l'autre côté pour retrouver son équilibre. Il y parvint, et, baissant les yeux, demanda à Chick si le pâté d'anguille était passé sans encombre.

— Ne m'en parle pas, dit Chick. J'ai péché dans mon robinet toute la nuit, pour voir si j'en trouverais une aussi. Mais, chez moi, il ne vient que des truites.

— Nicolas doit pouvoir en faire quelque chose! assura Colin. Vous avez, poursuivit-il en s'adressant plus particulièrement à Alise, un oncle extraordinairement doué.

— C'est l'orgueil de la famille, dit Alise. Ma mère ne se console pas de n'avoir épousé qu'un agrégé de mathématiques alors que son frère a réussi si brillamment dans la vie.

— Votre père est agrégé de mathématiques?

— Oui, il est professeur au Collège de France et membre de l'Institut ou quelque chose comme ça... dit Alise, c'est lamentable... à trente-huit ans. Il aurait pu faire un effort. Heureusement, il y a oncle Nicolas.

— Ne devait-il pas venir ce matin? demanda Chick.

Un parfum délicieux montait des clairs cheveux d'Alise. Colin s'écarta un peu.

— Je crois qu'il sera en retard. Il avait quelque chose en tête ce matin... Si vous veniez déjeuner à la maison tous les deux?... On verra ce que c'était...

— Très bien, dit Chick. Mais si tu crois que je vais accepter une proposition comme ça, tu te forges une fausse conception de l'univers. Il faut te trouver une quatrième. Je ne vais pas laisser Alise aller chez toi, je ne veux pas de ça.

— Oh!... protesta Colin. Vous l'entendez?...

Lui n'entendit pas la réponse, car un individu de longueur démesurée, qui faisait depuis cinq minutes une démonstration de vitesse, venait de lui passer entre les jambes, courbé en avant à l'extrême limite, et le courant d'air ainsi produit soulevait Colin à quelques mètres au-dessus du sol. Il s'agrippa au rebord de la galerie du premier étage, fit un rétablissement et retomba aux côtés de Chick et d'Alise, l'ayant exécuté dans le mauvais sens.

— On devrait les empêcher d'aller si vite, dit Colin.

Puis il fit un signe de croix car le patineur venait de s'écraser contre le mur du restaurant, à l'extrémité opposée de la piste, et restait collé là, comme une méduse de papier mâché écartelée par un enfant cruel.

Les varlets-nettoyeurs firent, une fois de plus, leur office et l'un d'eux planta une croix de glace à l'endroit de l'accident. Pendant qu'elle fondait, le préposé passa des disques religieux.

Puis, tout rentra dans l'ordre. Chick, Alise et Colin tournaient toujours.

IV

— Voici Nicolas! s'écria Alise.

— Et voilà Isis! dit Chick.

Nicolas venait d'apparaître au contrôle et Isis sur la piste. Le premier se dirigea vers les étages supérieurs, la seconde vers Chick, Colin et Alise.

— Bonjour, Isis, dit Colin. Je vous présente Alise. Alise, c'est Isis. Vous connaissez Chick.

Il y eut du serrage de mains et Chick en profita pour filer avec Alise, laissant Isis au bras de Colin, lesquels démarrèrent à la suite.

— Je suis contente de vous voir, dit Isis.

Colin était content de la voir aussi. Isis, en dix-huit ans d'âge, était parvenue à se munir de cheveux châtains, d'un sweat-shirt blanc et d'une jupe jaune avec un foulard vert acide, de chaussures blanches et jaunes et de lunettes de soleil. Elle était jolie. Mais Colin connaissait très bien ses parents.

— Il y a une matinée chez nous, la semaine prochaine, dit Isis. C'est l'anniversaire de Dupont.

— Qui, Dupont?

— Mon caniche. Alors j'ai invité tous les amis. Vous viendrez? A quatre heures?...

— Oui, dit Colin. Très volontiers.

— Demandez à vos amis de venir aussi! dit Isis.

— Chick et Alise?

— Oui, ils sont gentils... Alors à dimanche prochain!

— Vous partez déjà? dit Colin.

— Oui, je ne reste jamais très longtemps. Je suis déjà là depuis dix heures, vous savez, tout de même...

— Il n'est qu'onze heures! dit Colin.

— J'étais au bar!... Au revoir!...

V

Colin se hâtait par les rues lumineuses. Il soufflait un vent sec et vif et, sous ses pieds, de petites places de glace craquelée s'écrasaient en crépitant.

Les gens cachaient leur menton dans ce qu'ils pouvaient trouver : leur col de pardessus, leur foulard, leur manchon, il en vit même un qui employait à cet usage une cage à oiseau en fil de fer dont la porte à ressort lui appuyait sur le front.

— Je vais demain chez les Ponteauzanne, pensait Colin. C'étaient les parents d'Isis.

— Je dîne ce soir avec Chick...

— Je vais rentrer chez moi me préparer pour demain...

Il fit un grand pas pour éviter une raie du bord du trottoir qui paraissait dangereuse.

— Si je peux faire vingt pas sans marcher dessus, dit Colin, je n'aurai pas de bouton sur le nez demain...

— Ça ne fait rien, dit-il, en écrasant de tout son poids la neuvième raie, c'est idiot, ces trucs-là. Je n'aurai pas de bouton quand même.

Il se baissa pour cueillir une orchidée bleue et rose que le gel avait fait sortir de terre.

Elle sentait le parfum des cheveux d'Alise.

— Je verrai Alise demain...

23

C'était une pensée à éviter. Alise appartenait à Chick de plein droit.

— Je trouverai certainement une fille demain...

Mais ses pensées s'attardaient sur Alise.

— Est-ce qu'ils parlent vraiment de Jean-Sol Partre lorsqu'ils sont tout seuls!...

Il valait peut-être mieux aussi ne pas penser à ce qu'ils faisaient lorsqu'ils étaient tout seuls.

— Combien Jean-Sol Partre a-t-il écrit d'articles depuis un an?

De toute façon, il ne lui restait pas le temps de les compter jusque chez lui.

— Qu'est-ce que Nicolas va faire pour ce soir?...

A bien y réfléchir, la ressemblance d'Alise et de Nicolas ne présentait rien d'extraordinaire, puisqu'ils étaient de la même famille. Mais ça ramenait en douce au sujet défendu.

— Qu'est, dis-je, ce que Nicolas va faire pour ce soir?

— Je ne sais pas ce que Nicolas, qui ressemble à Alise, va faire pour ce soir...

Nicolas a onze ans de plus qu'Alise. Ça lui fait vingt-neuf ans. Il est très doué pour la cuisine. Il va faire du fricandeau.

Colin approchait de sa demeure.

— Les boutiques des fleuristes n'ont jamais de rideaux de fer. Personne ne cherche à voler les fleurs.

Cela se comprenait assez. Il cueillit une orchidée orange et grise dont la corolle délicate fléchissait. Elle brillait de couleurs diaprées.

— Elle a la couleur de la souris à moustaches noires... Je suis arrivé chez moi.

Colin monta l'escalier de pierre habillée de laine. Il introduisit dans la serrure de la porte de glace argentée une petite clé d'or.

— A moi, mes fidèles serviteurs!... Car me voici de retour!...

Il lança son imperméable sur une chaise et s'en fut rejoindre Nicolas.

VI

— Faites-vous, Nicolas, du fricandeau ce soir ? demanda Colin.

— Mon Dieu, dit Nicolas, Monsieur ne m'avait pas prévenu. J'avais d'autres projets.

— Pourquoi, peste diable bouffre, dit Colin, me parlez-vous toujours perpétuellement à la troisième personne ?

— Si Monsieur veut m'autoriser à lui en donner la raison, je trouve qu'une certaine familiarité n'est admissible que lorsque l'on a gardé les barrières ensemble, et ce n'est point le cas.

— Vous êtes hautain, Nicolas, dit Colin.

— J'ai l'orgueil de ma position, Monsieur, dit Nicolas, et vous ne sauriez m'en faire grief.

— Bien sûr, dit Colin. Mais j'aimerais vous voir moins distant.

— Je porte à Monsieur une sincère, quoique dissimulée, affection, dit Nicolas.

— J'en suis fier et heureux, Nicolas, et je vous le rends bien. Ainsi, que faites-vous ce soir ?

— Je resterai, une fois de plus, dans la tradition de Gouffé en élaborant, cette fois, un andouillon des îles au porto musqué.

— Et ceci s'exécute ? dit Colin.

— De la façon suivante : « Prenez un andouillon que vous écorcherez, malgré ses cris. Gardez soigneusement la peau. Lardez l'andouillon de pattes de homards émincées et revenues à toute bride dans du beurre assez chaud. Faites tomber sur glace dans une cocotte légère. Poussez le feu, et, sur l'espace ainsi gagné, disposez avec goût des rondelles de ris mitonné. Lorsque l'andouillon émet un son grave, retirez prestement du feu et nappez de porto de qualité. Touillez avec spatule de platine. Graissez un moule et rangez-le pour qu'il ne rouille pas. Au moment de servir, faites un coulis avec un sachet de lithinés et un quart de lait frais. Garnissez avec les ris, servez et allez-vous-en.

— Je reste sec, dit Colin. Gouffé fut un grand homme. Dites-moi, Nicolas, aurai-je, sur le nez, demain, un bouton?

Nicolas examina le piton de Colin et conclut par la négative.

— Et, pendant que j'y suis, savez-vous comment on danse le biglemoi?

— J'en suis resté au déboîté style Boissière et à la tramontane, créée le semestre dernier à Neuilly, dit Nicolas, et je ne possède pas à fond le biglemoi, dont je ne connais que les rudiments.

— Croyez-vous, demanda Colin, que l'on puisse acquérir en une séance la technique nécessaire?

— Il me paraît que oui, dit Nicolas. Pour l'essentiel, ce n'est point compliqué. Il convient seulement d'éviter les erreurs grossières et les fautes de goût. L'une d'elles consisterait à danser le biglemoi sur un rythme de boogie-woogie.

— Ce serait une erreur?

— Ce serait une faute de goût.

Nicolas reposa sur la table le grape-fruit qu'il avait plumé durant cet entretien, et se passa les mains à l'eau fraîche.

— Vous êtes pressé? demanda Colin.

— Mon Dieu, non, Monsieur, dit Nicolas, ma cuisine est en train.

— Alors, vous m'obligeriez en m'enseignant ces rudiments de biglemoi, dit Colin. Venez dans le living-room, je vais mettre un disque.

— Je conseille à Monsieur un tempo d'atmosphère, dans le style de *Chloé*, arrangé par Duke Ellington, ou du *Concerto pour Johnny Hodges*... dit Nicolas. Ce qu'outre-Atlantique on désigne par *moody* ou *sultry tune*.

VII

— Le principe du biglemoi, dit Nicolas, que Monsieur connaît sans doute, repose sur la production d'interférences par deux sources animées d'un mouvement oscillatoire rigoureusement synchrone.

— J'ignorais, dit Colin, que cela mît en œuvre des éléments de physique aussi avancés.

— En l'espèce, dit Nicolas, le danseur et la danseuse se tiennent à une distance assez petite l'un de l'autre et mettent leur corps entier en ondulation suivant le rythme de la musique.

— Oui ? dit Colin un peu inquiet.

— Il se produit alors, dit Nicolas, un système d'ondes statiques présentant, comme en acoustique, des nœuds et des ventres, ce qui ne contribue pas peu à créer l'atmosphère dans la salle de danse.

— Certainement... murmura Colin.

— Les professionnels du biglemoi, poursuivit Nicolas, réussissent parfois à installer des foyers d'ondes parasites en mettant, séparément, en vibration synchrone certains de leurs membres. Je n'insiste pas, et je vais tâcher de montrer à Monsieur comment on fait.

Colin choisit *Chloé*, comme le lui avait recommandé Nicolas et le centra sur le plateau du pick-up. Il posa délicatement la pointe de l'aiguille au fond du premier sillon et regarda Nicolas entrer en vibration.

VIII

— Monsieur va y arriver ! dit Nicolas. Encore un effort.

— Mais pourquoi, demanda Colin en sueur, prend-on un air lent ? C'est beaucoup plus difficile.

— Il y a une raison, dit Nicolas. En principe, le danseur et la danseuse se tiennent à une distance moyenne l'un de l'autre. Avec un air lent, on peut arriver à régler l'ondulation de telle sorte que le foyer fixe se trouve à mi-hauteur des deux partenaires : la tête et les pieds sont alors mobiles. C'est le résultat que l'on doit obtenir théoriquement. Il est, et c'est regrettable, advenu que des personnes peu scrupuleuses se sont mises à danser le biglemoi à la façon des Noirs, sur tempo rapide.

— C'est-à-dire? demanda Colin.

— C'est-à-dire avec un foyer mobile aux pieds, un à la tête et, malheureusement, un intermédiaire mobile à la hauteur des reins, les points fixes, ou pseudo-articulations, étant le sternum et les genoux.

Colin rougit.

— Je comprends, dit-il.

— Sur un boogie, conclut Nicolas, l'effet est, disons le mot, d'autant plus obscène que l'air est obsédant en général.

Colin restait songeur.

— Où avez-vous appris le biglemoi? demanda-t-il à Nicolas.

— Ma nièce me l'a appris... dit Nicolas. J'ai établi la théorie complète du biglemoi au cours de conversations avec mon beau-frère. Il est membre de l'Institut, comme Monsieur le sait sans doute, et n'a pas eu de grandes difficultés à saisir la méthode. Il m'a même dit qu'il avait fait ça il y a dix-neuf ans...

— Votre nièce a dix-huit ans? demanda Colin.

— Et trois mois... rectifia Nicolas. Si Monsieur n'a plus besoin de moi, je vais retourner surveiller ma cuisine.

— Allez, Nicolas, et merci, dit Colin en enlevant le disque qui venait de s'arrêter.

IX

— Je mettrai mon complet beige avec ma chemise bleue, et ma cravate beige et rouge, et mes souliers de daim à piqûres et des chaussettes rouges et beiges.

— Je vais d'abord m'abluter, et me raser, et me vérifier.

Et je vais demander dans sa cuisine à Nicolas :

— Nicolas, voulez-vous venir danser avec moi?

— Mon Dieu, dit Nicolas, si Monsieur me le demande avec insistance, j'irai, mais dans le cas contraire, je serais heureux de pouvoir régler quelques affaires dont l'urgence se fait impérative.

— Il est indiscret, Nicolas, de vous pousser plus à fond?

— Je suis, dit Nicolas, Président du Cercle Philosophique des Gens de Maison de l'arrondissement, et, par suite, astreint à une certaine assiduité aux réunions.

— Je n'ose, Nicolas, vous demander le thème de la réunion d'aujourd'hui...

— Il y sera parlé de l'engagement. Un parallèle est établi entre l'engagement d'après les théories de Jean-Sol Partre, l'engagement ou le rengagement dans les troupes coloniales, et l'engagement ou prise à gages des gens dits de maison par les particuliers.

— Voilà qui intéresserait Chick! dit Colin.

— Il est malheureusement regrettable, dit Nicolas, que le Cercle soit très fermé. M. Chick n'y pourrait être admis. Seuls, les gens de maison...

— Pourquoi, Nicolas, demanda Colin, emploie-t-on toujours le pluriel?

— Monsieur remarquera sans doute, dit Nicolas, que « homme de maison » reste anodin, mais que « femme de maison » prend une signification notoirement agressive...

— Vous avez raison, Nicolas. A votre avis, dois-je rencontrer l'âme sœur aujourd'hui?... Je voudrais une âme sœur du type de votre nièce...

— Monsieur a tort de penser à ma nièce, dit Nicolas, puisqu'il appert des événements récents que M. Chick a fait son choix le premier.

— Mais, Nicolas, dit Colin, j'ai tant envie d'être amoureux...

Une fumée légère s'échappa du bec de la bouilloire et Nicolas alla ouvrir. Le concierge montait deux lettres.

— Il y a du courrier? dit Colin.

— Je m'excuse, Monsieur, dit Nicolas, mais les deux sont pour moi. Monsieur attend-il des nouvelles?

— Je voudrais qu'une jeune fille m'écrivît, dit Colin. Je l'aimerais beaucoup.

— Il est midi, conclut Nicolas. Monsieur désire-t-il son petit déjeuner? Il y a de la queue de bœuf broyée et un bol de punch aux aromates avec croûtons beurrés d'anchois.

— Nicolas, pourquoi Chick ne veut-il pas venir déjeuner avec votre nièce à moins que je n'invite une autre jeune fille?

— Monsieur m'excusera, dit Nicolas, mais j'en ferais autant. Monsieur est certainement assez beau garçon...

— Nicolas, dit Colin, si ce soir je ne suis pas amoureux, pour de vrai, je... je collectionnerai les œuvres de la duchesse de Bovouard, pour faire pièce à mon ami Chick.

X

Je voudrais être amoureux, dit Colin. Tu voudrais être amoureux. Il voudrait *idem* (être amoureux). Nous, vous, voudrions, voudriez être. Ils voudraient également tomber amoureux...

Il nouait sa cravate devant le miroir de la salle de bains.

— Il me reste à mettre ma veste et mon manteau, et mon foulard et mon gant droit et mon gant gauche. Et pas de chapeau pour ne pas me décoiffer. Qu'est-ce que tu fais là?

Il interpellait la souris grise à moustaches noires qui certainement n'était pas à sa place dans le verre à dents, même accoudée au bord dudit verre, et prenant un air détaché.

— Suppose, dit-il à la souris, en s'asseyant sur le rebord de la baignoire (rectangulaire d'émail jaune) pour se rapprocher d'elle, que je trouve chez les Ponteauzanne mon vieil ami Chose...

La souris acquiesça.

— Suppose, pourquoi pas? qu'il ait une cousine. Elle serait vêtue d'un sweat-shirt blanc, d'une jupe jaune et elle s'appellerait Al... Onésime...

La souris se croisa les pattes et parut surprise.

— Ce n'est pas un joli nom, dit Colin. Mais toi tu es une souris et tu as bien de la moustache. Alors?

Il se releva.

— Il est déjà trois heures. Tu vois, tu me fais perdre mon temps. Chick et... Chick y sera certainement très tôt.

Il suça son doigt et l'éleva au-dessus de sa tête. Il le redescendit presque aussitôt. Ça le brûlait comme dans un four.

— Il y a de l'amour dans l'air, conclut-il. Ça chauffe.

— Je me lève, tu te, il se lève, nous, vous, ils, levons, levez, lèvent. Tu veux sortir du verre ?

La souris prouva qu'elle n'avait besoin de personne en sortant toute seule et en se taillant un morceau de savon en forme de sucette.

— N'en colle pas partout, dit Colin. Ce que tu es gourmande !...

Il sortit, passa dans sa chambre et mit sa veste.

— Nicolas a dû partir... Il doit connaître des filles extraordinaires... On dit que les filles d'Auteuil entrent chez les philosophes comme bonnes à presque tout faire...

Il ferma la porte de sa chambre.

— La doublure de ma manche gauche est un petit peu déchirée... Je n'ai plus de chatterton... Tant pis, je vais mettre un clou.

La porte claqua derrière lui avec le bruit d'une main nue sur une fesse nue... Ça le fit tressaillir...

— Je veux penser à autre chose... Supposons que je me casse la gueule dans l'escalier...

Le tapis de l'escalier, mauve très clair, n'était usé que toutes les trois marches : en effet, Colin descendait toujours quatre à quatre. Il se prit les pieds dans une tringle nickelée et se mélangea à la rampe.

— Ça m'apprendra à dire des conneries. C'est bien fait. Je, tu, suis, est-il bête !...

Il avait mal au dos. Il comprit pourquoi en arrivant en bas et retira une tringle entière du col de son pardessus...

La porte extérieure se referma sur lui avec un bruit de baiser sur une épaule nue...

— Qu'est-ce qu'il y a à voir dans cette rue ?

Il y avait, au premier plan, deux terrassiers qui jouaient à la marelle. Le ventre du plus gros sautait à contretemps de son propriétaire. Pour palet, ils se servaient d'un crucifix peint en rouge auquel il manquait la croix.

Colin les dépassa.

A droite, à gauche, s'élevaient de belles constructions de torchis avec des fenêtres à guillotine. Une femme se penchait à une fenêtre. Colin lui envoya un baiser et elle lui secoua sur la tête la descente de lit en molleton noir et argent que son mari n'aimait pas.

Des magasins égayaient l'aspect cruel des grands immeubles. Un étalage de fournitures pour fakirs retint l'attention de Colin. Il nota la hausse des prix du verre en salade et des clous à rembourrer, par rapport à la semaine passée.

Il croisa un chien et deux autres personnes. Le froid retenait les gens chez eux. Ceux qui réussissaient à s'arracher à sa prise y laissaient des lambeaux de vêtements et mouraient d'angine.

L'agent, au carrefour, avait caché sa tête dans sa pèlerine. Il ressemblait à un grand parapluie noir. Des garçons de café faisaient une ronde autour de lui pour se réchauffer.

Deux amoureux s'embrassaient sous un porche.

— Je ne veux pas les voir... Je ne, je ne veux pas les voir... Ils m'embêtent...

Colin traversa la rue. Deux amoureux s'embrassaient sous un porche.

Il ferma les yeux et se mit à courir...

Il les rouvrit très vite, car il voyait, sous ses paupières, des tas de filles et ça lui ferait perdre son chemin. Il y en avait une devant lui. Elle allait dans la même direction. On voyait ses jambes blanches dans des bottillons de mouton blanc, son manteau de peau de pandour décatie et sa toque assortie. Des cheveux roux sous sa toque. Son manteau lui faisait des épaules larges et dansait autour d'elle.

— Je veux la dépasser. Je veux voir sa figure...

Il la dépassa et se mit à pleurer. Elle comptait au moins cinquante-neuf ans. Il s'assit au bord du trottoir et pleura encore. Ça le soulageait beaucoup et les larmes gelaient avec un petit crépitement et se cassaient sur le granit lisse du trottoir.

Il s'aperçut, au bout de cinq minutes, qu'il se trouvait devant la maison d'Isis Ponteauzanne. Deux jeunes filles passèrent près de lui et pénétrèrent dans le vestibule de l'immeuble.

Son cœur s'enfla démesurément, s'allégea, le souleva de terre, et il entra à leur suite.

XI

Dès le premier étage, on commençait à entendre le vague brouhaha de la réunion chez les parents d'Isis. L'escalier tournait trois fois sur lui-même et amplifiait les sons dans sa cage, comme les ailettes dans le résonateur cylindrique d'un vibraphone. Colin montait, le nez sur les talons des deux filles. De jolis talons renforcés, en nylon clair, des souliers hauts de cuir fin et des chevilles délicates. Puis, les coutures des bas, légèrement froncées, comme de longues chenilles et les creux articulés de l'attache des genoux. Colin s'arrêta et perdit deux marches. Il repartit. Maintenant, il voyait le haut des bas de celle de gauche, la double épaisseur des mailles et la blancheur ombrée de la cuisse. La jupe de l'autre, à plis plats, ne permettait pas le même divertissement, mais, sous le manteau de castor, ses hanches tournaient plus rond que celles de la première, formant un petit pli cassé alternatif. Colin se mit à regarder ses pieds par décence et vit ceux-ci s'arrêter au second étage.

Il suivit les deux filles à qui une soubrette venait d'ouvrir.

— Bonjour, Colin, dit Isis. Vous allez bien ?

Il l'attira vers lui et l'embrassa près des cheveux. Elle sentait bon.

— Mais ce n'est pas mon anniversaire ! protesta Isis, c'est celui de Dupont !...

— Où est Dupont ? Que je le congratule !...

— C'est dégoûtant, dit Isis. Ce matin, on l'a mené chez le tondeur, pour qu'il soit beau. On l'a fait baigner et tout, et, à deux heures, trois de ses amis étaient ici avec un ignoble vieux paquet d'os et ils l'ont emmené. Il va sûrement revenir dans un état affreux !...

— C'est son anniversaire, après tout, observa Colin.

Il voyait, par l'embrasure de la double porte, les garçons et les filles. Une douzaine dansaient. La plupart, debout les uns à côté des autres, restaient, les mains derrière le dos, par paires du même sexe, et échangeaient des impressions peu convaincantes d'un air peu convaincu.

— Enlevez votre manteau, dit Isis. Venez, je vais vous conduire au vestiaire des garçons.

Il la suivit, croisant au passage deux autres filles qui revenaient, avec des bruits de sacs et de poudriers, de la chambre d'Isis métamorphosée en vestiaire pour filles. Au plafond, pendaient des crochets de fer empruntés au boucher, et, pour faire joli, Isis avait emprunté aussi deux têtes de moutons bien écorchées qui souriaient au bout des rangées.

Le vestiaire des garçons, établi dans le bureau du père d'Isis, consistait en la suppression des meubles dudit. On jetait sa pelure sur le sol et le tour était joué. Colin n'y faillit point et s'attarda devant une glace.

— Allons, venez, s'impatientait Isis. Je vais vous présenter à des filles charmantes.

Il l'attira vers lui par les deux poignets.

— Vous avez une robe ravissante, lui dit-il.

C'était une petite robe toute simple, de lainage vert amande avec de gros boutons de céramique dorée et une grille en fer forgé formant l'empiècement du dos.

— Vous l'aimez? dit Isis.

— Elle est très ravissante, dit Colin. Peut-on passer la main à travers les barreaux sans être mordu?

— Ne vous y fiez pas trop, dit Isis.

Elle se dégagea, saisit Colin par la main et l'entraîna vers le centre de sudation. Ils bousculèrent deux nouveaux arrivants du sexe pointu, glissèrent au tournant du couloir et rejoignirent le noyau central par la porte de la salle à manger.

— Tiens!... dit Colin, Alise et Chick sont déjà là?

— Oui, dit Isis. Venez, je vous présente...

La moyenne des filles était présentable. L'une d'elles portait une robe en lainage vert amande, avec de gros

34

boutons en céramique dorée, et, dans le dos, un empiècement de forme particulière.

— Présentez-moi surtout à celle-là, dit Colin.

Isis le secoua pour le faire tenir tranquille.

— Voulez-vous être sage, à la fin?

Il en guettait déjà une autre et tirait sur la main de sa
conductrice.

— C'est Colin, dit Isis. Colin, je vous présente Chloé.

Colin avala sa salive. Sa bouche lui faisait comme du
gratouillis de beignets brûlés.

— Bonjour! dit Chloé...

— Bonj... Êtes-vous arrangée par Duke Ellington?
demanda Colin... Et puis il s'enfuit, parce qu'il avait la
conviction d'avoir dit une stupidité.

Chick le rattrapa par un pan de sa veste.

— Où vas-tu comme ça? Tu ne vas pas t'en aller déjà?
Regarde!...

Il tira de sa poche un petit livre relié en maroquin
rouge.

— C'est l'original du *Paradoxe sur le Dégueulis*, de
Partre...

— Tu l'as trouvé quand même? dit Colin.

Puis il se rappela qu'il s'enfuyait et s'enfuit.

Alise lui barrait la route.

— Alors, vous vous en allez sans avoir dansé une seule
petite fois avec moi? dit-elle.

— Excusez-moi, dit Colin, mais je viens d'être idiot et
ça me gêne de rester.

— Pourtant, quand on vous regarde comme ça, on est
forcé d'accepter...

— Alise... geignit Colin, en l'enlaçant et en frottant sa
joue contre les cheveux d'Alise.

— Quoi, mon vieux Colin?

— Zut... Zut... et Bran!... Peste diable bouffre. Vous
voyez la fille là?...

— Chloé?...

— Vous la connaissez?... dit Colin. Je lui ai dit une
stupidité, et c'est pour ça que je m'en allais.

Il n'ajouta pas qu'à l'intérieur du thorax, ça lui faisait

35

comme une musique militaire allemande, où l'on n'entend que la grosse caisse.

— N'est-ce pas qu'elle est jolie? demanda Alise.

Chloé avait les lèvres rouges, les cheveux bruns, l'air heureux et sa robe n'y était pour rien.

— Je n'oserai pas! dit Colin.

Et puis, il lâcha Alise et alla inviter Chloé. Elle le regarda. Elle riait et mit la main droite sur son épaule. Il sentait ses doigts frais sur son cou. Il réduisit l'écartement de leurs deux corps par le moyen d'un raccourcissement du biceps droit, transmis, du cerveau, le long d'une paire de nerfs crâniens choisie judicieusement.

Chloé le regarda encore. Elle avait les yeux bleus. Elle agita la tête pour repousser en arrière ses cheveux frisés et brillants, et appliqua, d'un geste ferme et déterminé, sa tempe sur la joue de Colin.

Il se fit un abondant silence à l'entour, et la majeure partie du reste du monde se mit à compter pour du beurre.

Mais, comme il fallait s'y attendre, le disque s'arrêta. Alors, seulement, Colin revint à la vraie réalité et s'aperçut que le plafond était à claire-voie, au travers de laquelle regardaient les locataires d'en dessus, qu'une épaisse frange d'iris d'eau cachait le bas des murs, que des gaz, diversement colorés, s'échappaient d'ouvertures pratiquées çà et là et que son amie Isis se tenait devant lui et lui offrait des petits fours sur un plateau hercynien.

— Merci, Isis, dit Chloé en secouant ses boucles.

— Merci, Isis, dit Colin en prenant un éclair miniature du type ramifié.

— Vous avez tort, dit-il à Chloé. Ils sont très bons.

Et puis, il toussa, car il s'était, par malheur, rencontré avec un piquant de hérisson dissimulé dans le gâteau.

Chloé rit en montrant ses jolies dents.

— Qu'est-ce qu'il y a?

Il dut la lâcher et s'écarter d'elle pour tousser à son aise, et enfin, cela se calma. Chloé revint avec deux verres.

— Buvez ça, dit-elle, ça vous remettra.

— Merci, dit Colin. C'est du champagne?

— C'est un mélange.

Il but un grand coup et s'étrangla. Chloé ne se tenait plus de rire. Chick et Alise s'approchèrent.

— Qu'est-ce qu'il y a? demanda Chloé.

— Il ne sait pas boire! dit Chloé.

Alise lui tapa le dos gentiment et ça résonna comme un gong balinais. Du coup, tout le monde s'arrêta de danser pour passer à table.

— Ça y est, dit Chick. On est tranquilles. Si on mettait un bon disque?...

Il cligna de l'œil vers Colin.

— Si on dansait un peu le biglemoi? proposa Alise.

Chick fourrageait dans la pile de disques près du pick-up.

— Danse avec moi, Chick, lui dit Alise.

— Voilà, dit Chick, je mets un disque.

C'était un boogie-woogie.

Chloé attendait.

— Vous n'allez pas danser le biglemoi là-dessus?... dit Colin horrifié.

— Pourquoi pas?... demanda Chick.

— Ne regardez pas ça, dit-il à Chloé.

Il inclina légèrement la tête et l'embrassa entre l'oreille et l'épaule. Elle frémit mais ne retira pas sa tête.

Colin ne retira pas ses lèvres non plus.

Alise et Chick, cependant, se livraient à une remarquable démonstration de biglemoi dans le style nègre.

Le disque passa très vite. Alise se dégagea et chercha quoi mettre ensuite. Chick se laissa tomber sur un divan. Colin et Chloé se trouvaient devant lui. Il les attrapa par les jambes et les fit choir à ses côtés.

— Alors, mes agneaux, dit-il, ça gaze?

Colin s'assit et Chloé se nicha commodément près de lui.

— Elle est gentille, cette petite fille, hein? dit Chick.

Chloé sourit. Colin ne dit rien, mais passa son bras autour du cou de Chloé et se mit à jouer négligemment avec le premier bouton de sa robe, qui s'ouvrait devant.

Alise revenait.

— Pousse-toi, Chick, je veux me mettre entre Colin et toi.

Elle avait bien choisi le disque. C'était *Chloé*, arrangé par Duke Ellington. Colin mordillait les cheveux de Chloé près de l'oreille. Il murmura :

— C'est exactement vous.

Et, avant que Chloé ait eu le temps de répondre, tous les autres revinrent danser, se rendant compte à la longue que ce n'était pas du tout le moment de passer à table.

— Oh!... dit Chloé, quel dommage!...

XII

— Est-ce que tu la reverras? demanda Chick.

Ils étaient attablés devant la dernière création de Nicolas, un courge aux noix.

— Je ne sais pas, dit Colin. Je ne sais pas quoi faire. Tu sais, c'est une fille très bien élevée. La dernière fois, chez Isis, elle avait bu beaucoup de champagne...

— Ça lui allait très bien, dit Chick. Elle est très jolie. Ne fais pas cette tête-là!... Songe que j'ai trouvé, aujourd'hui, une édition du *Choix Préalable avant le Haut-le-Cœur* de Partre, sur rouleau hygiénique non dentelé...

— Mais, où prends-tu tout cet argent? dit Colin.

Chick s'assombrit.

— Ça me coûte très cher, mais je ne peux pas m'en passer, dit-il. J'ai besoin de Partre. Je suis collectionneur. Il me faut tout ce qu'il a fait.

— Mais il n'arrête pas d'en faire, dit Colin. Il publie au moins cinq articles par semaine...

— Je sais bien, dit Chick...

Colin lui fit reprendre du courge.

— Comment est-ce que je pourrais revoir Chloé? dit-il.

— Chick le regarda et sourit.

— C'est vrai, dit-il. Je te bassine avec mes histoires de Jean-Sol Partre. Je veux bien t'aider... Qu'est-ce qu'il faut que je fasse?...

— C'est horrible, dit Colin. Je suis à la fois désespéré et

horriblement heureux. C'est très agréable d'avoir envie de quelque chose à ce point-là.

— Je voudrais, continua-t-il, être couché dans de l'herbe un peu rôtie, avec de la terre sèche et du soleil, tu sais, de l'herbe jaune comme de la paille, et cassante, avec des tas de petites bêtes et de la mousse sèche aussi. On se met à plat ventre et on regarde. Il faut une haie avec des pierres et des arbres tout tordus, et des petites feuilles. Ça fait un bien considérable.

— Et Chloé? dit Chick.

— Et Chloé, naturellement, dit Colin. Chloé dans l'idée.

Ils se turent quelques instants. Une carafe en profita pour émettre un son cristallin qui se répercuta sur les murs.

— Reprends un peu de sauternes, dit Colin.

— Oui, dit Chick. Merci.

Nicolas apportait la suite, du pain d'ananas dans une crème d'orange.

— Merci, Nicolas, dit Colin. A votre avis, qu'est-ce que je peux faire pour revoir une jeune fille dont je suis amoureux?

— Mon Dieu, Monsieur, dit Nicolas, le cas peut évidemment se présenter... Je dois avouer à Monsieur que cela ne m'est jamais arrivé.

— Évidemment, dit Chick. Vous êtes bâti comme Johnny Weissmüller. Mais ce n'est pas la règle générale!

— Je remercie Monsieur de cette appréciation qui me va droit au cœur, dit Nicolas. Je conseille à Monsieur, poursuivit-il en s'adressant à Colin, de s'efforcer de recueillir, par le truchement de la personne chez qui Monsieur a rencontré la personne dont la présence paraît manquer à Monsieur, certaines informations sur les habitudes et fréquentations de cette dernière.

— Malgré la complexité de vos tournures, dit Colin, je crois, Nicolas, qu'il y a là une possibilité, en effet. Mais vous savez, quand on est amoureux, on est idiot. C'est pourquoi je n'ai pas dit à Chick que j'ai songé à cela depuis longtemps.

Nicolas regagna sa cuisine.

— Ce garçon est inappréciable, dit Colin.

— Oui, dit Chick, il sait faire la cuisine.

Ils burent encore du sauternes. Nicolas revenait, il portait un énorme gâteau.

— C'est un dessert supplémentaire, dit-il.

Colin prit un couteau et s'arrêta au moment d'entamer la surface unie.

— Il est trop beau, dit-il. On va attendre un peu.

— L'attente, dit Chick, est un prélude sur le mode mineur.

— Qu'est-ce qui te fait dire ça? dit Colin.

Il prit le verre de Chick et le remplit d'un vin doré, lourd et mobile comme de l'éther pesant.

— Je ne sais pas, dit Chick. C'est une pensée inopinée.

— Goûte-le! dit Colin.

Ils vidèrent leurs verres ensemble.

— C'est terrible!... dit Chick, dont les yeux se mirent à briller de feux alternatifs et rougeâtres.

Colin se tenait la poitrine.

— C'est mieux que ça, dit-il. Ça ne ressemble à rien de connu.

— Ça n'aurait aucune importance, dit Chick. Toi non plus tu ne ressembles à rien de connu.

— Je suis sûr, dit Colin, que, si on boit assez, Chloé va venir tout de suite.

— Ça n'est pas prouvé! dit Chick.

— Tu me provoques! dit Colin en tendant son verre.

Chick remplit les deux verres.

— Attends! dit Colin.

Il éteignit le plafonnier et la petite lampe qui éclairait la table. Seule brillait dans un coin la lumière verte de l'icône écossaise devant laquelle Colin méditait à l'ordinaire.

— Oh!... murmura Chick.

Dans le cristal, le vin luisait d'un éclat phosphorescent et incertain, qu'on eût dit émané d'une myriade de points lumineux de toutes les couleurs.

— Bois! dit Colin.

Ils burent. La lueur restait sur leurs lèvres. Colin ralluma. Il paraissait hésiter à rester debout.

— Une fois n'est pas coutume, dit-il. Je crois qu'on peut finir la bouteille.

— Si on coupait le gâteau? dit Chick.

Colin saisit un couteau d'argent et se mit à tracer une spirale sur la blancheur polie du gâteau. Il s'arrêta soudain, et regarda son œuvre avec surprise.

— Je vais essayer quelque chose, dit-il.

Il prit une feuille de houx au bouquet de la table et saisit le gâteau d'une main. Le faisant tourner rapidement sur le bout du doigt, il plaça, de l'autre main, une des pointes du houx dans la spirale.

— Écoute!... dit-il.

Chick écouta. C'était *Chloé,* dans l'arrangement de Duke Ellington.

Chick regarda Colin. Il était tout pâle.

Chick lui prit le couteau des mains et le planta d'un geste ferme dans le gâteau. Il le fendit en deux, et, dans le gâteau, il y avait un nouvel article de Partre pour Chick et un rendez-vous avec Chloé pour Colin.

XIII

Colin, debout au coin de la place, attendait Chloé. La place était ronde et il y avait une église, des pigeons, un square, des bancs, et, devant, des autos et des autobus, sur du macadam. Le soleil aussi attendait Chloé, mais lui pouvait s'amuser à faire des ombres, à faire germer des graines de haricot sauvage dans les interstices adéquats, à pousser des volets et rendre honteux un réverbère allumé pour raison d'inconscience de la part d'un Cépédéiste.

Colin roulait le bord de ses gants et préparait sa première phrase. Celle-ci se modifiait de plus en plus rapidement à mesure qu'approchait l'heure. Il ne savait pas que faire avec Chloé. Peut-être l'emmener dans un salon de thé, mais l'atmosphère y est, d'ordinaire, plutôt déprimante, et les dames goinfres de quarante ans qui mangent sept gâteaux à la crème en détachant le petit doigt, il n'aimait pas ça. Il ne concevait la goinfrerie que pour les hommes, chez qui elle prend tout son sens sans leur enlever leur dignité naturelle. Pas au cinéma, elle n'acceptera pas. Pas au députodrome, elle n'aimera pas ça. Pas aux courses de veaux, elle aura peur. Pas à l'hôpital Saint-Louis, c'est défendu. Pas au musée du Louvre, il y a des satyres derrière les chérubins assyriens. Pas à la gare Saint-Lazare, il n'y a plus que des brouettes et pas un seul train.

— Bonjour !...

Chloé était arrivée par-derrière. Il retira vite son gant, s'empêtra dedans, se donna un grand coup de poing dans le nez, fit « Ouille !.. » et lui serra la main. Elle riait.

— Vous avez l'air bien embarrassé !...

Un manteau de fourrure à longs poils, de la couleur de ses cheveux, et une toque en fourrure aussi, et de petites bottes courtes à revers de fourrure.

Elle prit Colin par le bras.

— Offrez-moi le bras. Vous n'êtes pas dégourdi, aujourd'hui !...

— Ça allait mieux la dernière fois, avoua Colin.

Elle rit encore, et le regarda et rit de nouveau encore mieux.

— Vous vous moquez de moi, dit Colin, piteux. C'est pas charitable.

— Vous êtes content de me voir ? dit Chloé.

— Oui !... dit Colin.

Ils marchaient, suivant le premier trottoir venu. Un petit nuage rose descendait de l'air et s'approchait d'eux.

— J'y vais ! proposa-t-il.

— Vas-y, dit Colin.

Et le nuage les enveloppa. A l'intérieur, il faisait chaud et ça sentait le sucre à la cannelle.

— On ne nous voit plus ! dit Colin... Mais nous, on les voit !...

— C'est un peu transparent, dit Chloé. Méfiez-vous.

— Ça ne fait rien, on se sent mieux tout de même, dit Colin. Que voulez-vous faire ?...

— Juste se promener... Ça vous ennuie?

— Dites-moi des choses, alors...

— Je ne sais pas de choses assez bien, dit Chloé. On peut regarder les vitrines. Regardez celle-ci!... C'est intéressant.

Dans la vitrine, une jolie femme reposait sur un matelas à ressort. Sa poitrine était nue, et un appareil lui brossait les seins vers le haut, avec de longues brosses soyeuses en poil blanc et fin. La pancarte portait : *Économisez vos chaussures avec l'Antilope du Révérend Charles*.

— C'est une bonne idée, dit Chloé.

— Mais ça n'a aucun rapport!... dit Colin. C'est bien plus agréable avec la main.

Chloé rougit.

— Ne dites pas des choses comme ça. Je n'aime pas les garçons qui disent des horreurs devant les jeunes filles.

— Je suis désolé... dit Colin, je ne voulais pas...

Il avait l'air si désolé qu'elle sourit et le secoua un petit peu pour lui montrer qu'elle n'était pas fâchée.

Dans une autre vitrine, un gros homme avec un tablier de boucher, égorgeait de petits enfants. C'était une vitrine de propagande pour l'Assistance Publique.

— Voilà où passe l'argent, dit Colin. Ça doit leur coûter horriblement cher de nettoyer ça tous les soirs.

— Ils ne sont pas vrais!... dit Chloé alarmée.

— Comment peut-on savoir? dit Colin. Ils les ont pour rien, à l'Assistance Publique...

— Je n'aime pas ça, dit Chloé. Avant, on ne voyait pas des vitrines de propagande comme ça. Je ne trouve pas que ce soit un progrès.

— Ça n'a pas d'importance, dit Colin. Ça n'agit que sur ceux qui croient déjà à ces imbécillités.

— Et ça?... dit Chloé.

Dans la vitrine, c'était un ventre, monté sur des roues caoutchoutées, bien rond et bien rebondi. Sur l'annonce, on pouvait lire : *Le vôtre ne fera pas de plis non plus si vous le repassez avec le Fer Électrique*.

— Mais je le connais!... dit Colin. C'est le ventre de

Serge, mon ancien cuisinier!... Qu'est-ce qu'il peut faire là?

— Ça ne fait rien, dit Chloé. Vous n'allez pas épiloguer sur ce ventre. Il est bien trop gros, d'ailleurs...

— C'est qu'il savait faire la cuisine!...

— Allons-nous-en, dit Chloé. Je ne veux plus voir de vitrines, ça me déplaît.

— Qu'est-ce qu'on va faire? dit Colin. On va prendre le thé quelque part?

— Oh! Ce n'est pas l'heure... et puis, je n'aime pas beaucoup ça.

Colin respira, soulagé, et ses bretelles craquèrent.

— Qu'est-ce qui a fait ce bruit?

— J'ai marché sur une branche morte, expliqua Colin en rougissant.

— Si nous allions nous promener au Bois? dit Chloé.

Colin la regarde, ravi.

— C'est une très bonne idée. Il n'y aura personne.

Chloé rougit.

— Ce n'est pas pour ça. D'ailleurs, ajouta-t-elle pour se venger, nous ne quitterons pas les grandes allées, autrement, on se mouille les pieds.

Il serra un peu le bras qu'il sentait sous le sien.

— On va prendre le souterrain, dit-il.

Le souterrain était bordé des deux côtés par une rangée de volières de grandes dimensions, où les Arrangeurs Urbains entreposaient les pigeons-de-rechange pour les Squares et les Monuments. Il y avait aussi des Pépinières de moineaux et des pépiements de petits moineaux. Les gens ne descendaient pas souvent dedans parce que les ailes de tous ces oiseaux faisaient un courant d'air terrible où volaient de minuscules plumes blanches et bleues.

— Ils ne s'arrêtent jamais de remuer? dit Chloé en assujettissant sa toque pour éviter qu'elle ne s'envole.

— Ce ne sont pas les mêmes tout le temps, dit Colin.

Il luttait avec les pans de son pardessus.

— Dépêchons-nous de dépasser les pigeons. Les moineaux font moins de vent, dit Chloé en se serrant contre Colin.

Ils se hâtèrent et sortirent de la zone dangereuse. Le petit nuage ne les avait pas suivis. Il s'était acheminé par le raccourci et les attendait déjà à l'autre extrémité.

XIV

Le banc paraissait un peu humide et vert foncé. Malgré tout, cette allée n'était pas très fréquentée et ils n'étaient pas mal.

— Vous n'avez pas froid? demanda Colin.

— Non, avec ce nuage, dit Chloé. Mais... je veux bien me rapprocher tout de même.

— Oh!... dit Colin et il rougit.

Ça lui fit une drôle de sensation. Il mit son bras autour de la taille de Chloé. Sa toque était inclinée de l'autre côté et il avait, tout près des lèvres, un flot de cheveux lustrés.

— J'aime être avec vous, dit-il.

Chloé ne dit rien. Elle respira un peu plus vite et se rapprocha insensiblement.

Colin lui parlait presque à l'oreille.

— Vous ne vous ennuyez pas? demanda-t-il.

Elle fit non de la tête, et Colin put se rapprocher encore à la faveur du mouvement.

— Je... dit-il tout contre son oreille, et, à ce moment, comme par erreur, elle tourna la tête et Colin lui embrassait les lèvres. Ça ne dura pas très longtemps; mais, la fois d'après, c'était beaucoup mieux. Alors, il fourra sa figure dans les cheveux de Chloé, et ils restèrent là, sans rien dire.

XV

— Vous êtes gentille d'être venue, Alise, dit Colin. Pourtant, vous serez la seule fille...

— Ça ne fait rien, dit Alise. Chick est d'accord.

Chick approuva. Mais, à vrai dire, la voix d'Alise n'était pas entièrement gaie.

— Chloé n'est pas à Paris, dit Colin. Elle est partie trois semaines avec des relatifs dans le Midi.

— Ah! dit Chick, tu dois être très malheureux.

— Je n'ai jamais été plus heureux! dit Colin. Je voulais vous annoncer mes fiançailles avec elle...

— Je te félicite, dit Chick.

Il évitait de regarder Alise.

— Qu'est-ce qu'il y a vous deux? dit Colin. Ça n'a pas l'air de carburer fort.

— Il n'y a rien, dit Alise. C'est Chick qui est bête.

— Mais non, dit Chick. Ne l'écoute pas, Colin... Il n'y a rien.

— Vous dites la même chose, et vous n'êtes pas d'accord, dit Colin, donc, il y en a un des deux qui ment, ou bien tous les deux. Venez, on va dîner tout de suite.

Ils passèrent dans la salle à manger.

— Asseyez-vous, Alise, dit Colin. Venez à côté de moi, vous allez me dire ce qu'il y a.

— Chick est bête, dit Alise. Il dit qu'il a tort de me garder avec lui puisqu'il n'a pas d'argent pour me faire vivre bien, et il a honte de ne pas m'épouser.

— Je suis un salaud, dit Chick.

— Je ne sais pas quoi vous dire, dit Colin.

Il était si heureux que ça lui faisait énormément de peine.

— Ce n'est pas surtout l'argent, dit Chick. C'est que les parents d'Alise ne voudront jamais que je l'épouse, et ils auront raison. Il y a une histoire comme ça dans un des livres de Partre.

— C'est un livre excellent, dit Alise. Vous ne l'avez pas lu, Colin?

— Voilà comme vous êtes, dit Colin. Je suis sûr que tout votre argent continue à y passer.

Chick et Alise baissèrent le nez.

— C'est ma faute, dit Chick. Alise ne dépense plus rien pour Partre. Elle ne s'en occupe presque plus depuis qu'elle vit avec moi.

Sa voix contenait un reproche.

— Je t'aime mieux que Partre, dit Alise.

46

Elle allait presque pleurer.

— Tu es gentille, dit Chick. Je ne te mérite pas. Mais c'est mon vice, collectionner Partre, et, malheureusement, un ingénieur ne peut pas se permettre d'avoir tout.

— Je suis désolé, dit Colin. Je voudrais que tout aille bien pour vous. Vous devriez déplier votre serviette.

Il y avait, sous celle de Chick, un exemplaire relié mi-mouffette du *Vomi*, et, sous celle d'Alise, une grosse bague d'or en forme de nausée.

— Oh!... dit Alise.

Elle mit ses bras autour du cou de Colin et l'embrassa.

— Tu es un chic type, dit Chick. Je ne sais pas comment te remercier; d'ailleurs, tu sais très bien que je ne peux pas te remercier comme je le voudrais...

Colin se sentait un peu réconforté. Et Alise était vraiment en beauté ce soir.

— Quel parfum avez-vous? dit-il. Chloé se parfume à l'essence d'orchidée bidistillée.

— Je n'ai pas de parfum, dit Alise.

— C'est naturel, dit Chick.

— C'est merveilleux!... dit Colin. Vous sentez la forêt, avec un ruisseau et des petits lapins.

— Parlez-nous de Chloé!... dit Alise flattée.

Nicolas apportait les hors-d'œuvre.

— Bonjour, Nicolas, dit Alise. Tu vas bien?

— Oui, dit Nicolas.

Il posa le plateau sur la table.

— Tu ne m'embrasses pas? dit Alise.

— Ne vous gênez pas, Nicolas, dit Colin. Même, vous me feriez un grand plaisir en dînant avec nous...

— Oh! Oui... dit Alise. Dîne avec nous.

— Monsieur me plonge dans la confusion, dit Nicolas. Je ne puis m'asseoir à sa table dans cette tenue...

— Écoutez, Nicolas, dit Colin. Allez vous changer si vous voulez, mais je vous intime l'ordre de dîner avec nous.

— Je remercie Monsieur, dit Nicolas. Je vais me changer.

Il déposa le plateau sur la table et sortit.

— Alors, dit Alise, Chloé?

— Servez-vous, dit Colin. Je ne sais pas ce que c'est, mais ce doit être bon.

— Tu nous fais languir!... dit Chick.

— Je vais épouser Chloé dans un mois, dit Colin. Et je voudrais tant que ce soit demain!...

— Oh! dit Alise, vous avez de la chance.

Colin se sentait honteux d'être si riche.

— Écoute, Chick, dit-il, veux-tu de mon argent?

Alise regarda Colin avec tendresse. Il était si gentil qu'on voyait ses pensées bleues et mauves s'agiter dans les veines de ses mains.

— Je ne crois pas que cela serve, dit Chick.

— Tu pourrais épouser Alise, dit Colin.

— Ses parents ne veulent pas, répondit Chick, et je ne veux pas qu'elle se fâche avec eux. Elle est trop jeune.

— Je ne suis pas si jeune, dit Alise en se redressant sur la banquette capitonnée pour mettre en valeur sa poitrine provocante.

— Ce n'est pas ça qu'il veut dire!... interrompit Colin. Écoute, Chick, j'ai cent mille doublezons, je t'en donnerai le quart et tu pourras vivre tranquillement. Tu continueras à travailler et comme ça, ça ira.

— Je ne pourrai jamais assez te remercier, dit Chick.

— Ne me remercie pas, dit Colin. Ce qui m'intéresse, ce n'est pas le bonheur de tous les hommes, c'est celui de chacun.

On sonna à la porte.

— Je vais ouvrir, dit Alise. Je suis la plus jeune, c'est vous-même qui me le reprochez...

Elle se leva et ses pieds firent un frottis menu sur le tapis souple.

C'était Nicolas, descendu par l'escalier de service. Il revenait, maintenant, vêtu d'un pardessus d'épais tissu godon à chevrons beiges et verts et coiffé d'un feutre amerlaud extra-plat. Il avait des gants de porc dépossédé, des souliers de gavial consistant, et, lorsqu'il eut retiré son manteau, il apparut dans toute sa splendeur, veste de

48

velours marron à côtes d'ivoire et pantalons bleu pétrole à revers larges de cinq doigts et le pouce.

— Oh! dit Alise. Comme tu es smart!...

— Comment ça va, ma nièce? Toujours belle?...

Il lui caressa la poitrine et les hanches.

— Viens à table, dit Alise.

— Bonjour, les amis, dit Nicolas en entrant.

— Enfin! dit Colin. Vous vous décidez à parler normalement!...

— Bien sûr! dit Nicolas. Je peux aussi. Mais, dis-moi, poursuivit-il, si on se tutoyait, tous les quatre?

— D'accord, dit Colin. Pose-le.

Nicolas s'assit en face de Chick.

— Prends du hors-d'œuvre, dit ce dernier.

— Les gars, conclut Colin, est-ce que vous voulez être mes garçons d'honneur?

— C'est entendu, acquiesça Nicolas. Mais il ne faudra pas nous accoupler avec des filles horribles, hein? Le coup est classique et bien connu...

— Je compte demander à Alise et Isis d'être les demoiselles d'honneur, dit Colin, et aux frères Desmaret d'être les pédérastes d'honneur.

— Convenu! dit Chick.

— Alise, reprit Nicolas, va à la cuisine et rapporte le plat qui est dans le four. Ça doit être prêt, maintenant.

Elle suivit les instructions de Nicolas et rapporta le plat d'argent massif. Et, lorsque Chick souleva le couvercle, ils virent à l'intérieur, deux figurines de foie gras sculpté qui représentaient Colin en jaquette, et Chloé en robe de mariée. Tout autour, on pouvait lire la date du mariage, et, dans un coin, c'était signé : *Nicolas*.

XVI

Colin courait dans la rue.

— Ce sera une très belle noce... C'est demain, demain matin. Tous mes amis seront là...

La rue menait à Chloé.

Chloé, vos lèvres sont douces. Vous avez un teint de fruit. Vos yeux voient comme il faut voir et votre corps me fait chaud...

Des billes de verre roulaient dans la rue et des enfants venaient derrière.

— Il faudra des mois, des mois pour que je me rassasie des baisers à vous donner. Il faudra des ans de mois pour épuiser les baisers que je veux poser sur vous, sur vos mains, sur vos cheveux, sur vos yeux, sur votre cou...

Il y eut trois petites filles ; elles chantaient une ronde toute ronde et la dansaient en triangle.

— Chloé, je voudrais sentir vos seins sur ma poitrine, mes deux mains croisées sur vous, vos bras autour de mon cou, votre tête parfumée dans le creux de mon épaule, et votre peau palpitante, et l'odeur qui vient de vous...

Le ciel était clair et bleu, le froid vif encore, mais moins. Les arbres, tout noirs, montraient, au bout de leur bois terni, des bourgeons verts et gonflés.

— Quand vous êtes loin de moi, je vous vois dans cette robe, avec des boutons d'argent, mais quand la portiez-vous donc ? Non, pas la première fois ? C'était le jour du rendez-vous, sous votre manteau lourd et doux, vous l'aviez contre votre corps.

Il poussa la porte de la boutique et entra.

— Je voudrais des masses de fleurs pour Chloé, dit-il.

— Quand doit-on les lui porter ? demanda la fleuriste.

Elle était jeune et frêle, et ses mains rouges. Elle aimait beaucoup les fleurs.

— Portez-les demain matin, et puis portez-en chez moi. Qu'il y en ait plein notre chambre, des lys, des glaïeuls blancs, des roses, et des tas d'autres fleurs blanches, et mettez aussi, surtout, un gros bouquet de roses rouges...

XVII

Les frères Desmaret s'habillaient pour la noce. Ils étaient très souvent invités comme pédérastes d'honneur car ils présentaient bien. Ils étaient jumeaux. L'aîné s'appelait

Coriolan. Il avait les cheveux noirs et frisés, la peau blanche et douce, un air de virginité, le nez droit et les yeux bleus derrière de grands cils jaunes.

Le cadet, nommé Pégase, offrait un aspect semblable, à cela près que ses cils étaient verts, ce qui suffisait, d'ordinaire, à les distinguer l'un de l'autre. Ils avaient embrassé la carrière de pédérastes par nécessité et par goût, mais, comme on les payait bien pour être pédérastes d'honneur, ils ne travaillaient presque plus, et malheureusement, cette oisiveté funeste les poussait au vice de temps à autre. C'est ainsi que, la veille, Coriolan s'était mal conduit avec une fille. Pégase le tançait d'importance, tout en se massant la peau des reins avec de la pâte d'amandes mâles, devant la grande glace à trois faces.

— Et à quelle heure es-tu rentré, hein? disait Pégase.

— Je ne sais plus, dit Coriolan. Laisse-moi. Occupe-toi de tes reins.

Coriolan s'épilait les sourcils au moyen d'une pince à forcipressure.

— Tu es obscène! dit Pégase. Une fille!... Si ta tante te voyait!...

— Oh!... Tu ne l'as jamais fait, toi? hein? dit Coriolan menaçant.

— Quand ça? dit Pégase un peu inquiet.

Il interrompit son massage et fit quelques mouvements d'assouplissement devant la glace.

— Ça va, dit Coriolan, je n'insiste pas. Je ne veux pas te faire rentrer sous terre. Boutonne-moi plutôt ma culotte.

Ils avaient des culottes spéciales, à braguettes en arrière, difficiles à fermer tout seul.

— Ah! ricana Pégase, tu vois! Tu ne peux rien dire!...

— Ça va, je te dis! répéta Coriolan. Qui est-ce qui se marie, aujourd'hui?

— C'est Colin qui épouse Chloé, dit son frère avec dégoût.

— Pourquoi prends-tu ce ton? demanda Coriolan. Il est bien, ce type-là.

— Oui, il est bien, dit Pégase avec envie. Mais, elle, elle

a une poitrine tellement ronde, qu'on ne peut vraiment pas se figurer que c'est un garçon!...

Coriolan rougit.

— Je la trouve jolie... murmura-t-il. On a envie de lui toucher la poitrine... Ça ne te fait pas cet effet-là?...

Son frère le regarda avec stupeur.

— Quel salaud tu fais! conclut-il avec énergie. Tu es plus vicieux que n'importe qui... Un de ces jours, tu vas te marier avec une femme!...

XVIII

Le Religieux sortit de la sacristoche, suivi d'un Bedon et d'un Chuiche. Ils portaient de grandes boîtes de carton ondulé pleines d'éléments décoratifs.

— Quand le camion des Peintureurs arrivera, vous le ferez entrer jusqu'à l'autel, Joseph, dit-il au Chuiche.

Presque tous les Chuiches professionnels s'appellent Joseph, en effet.

— On peint tout en jaune? dit Joseph.

— Avec des raies violettes, dit le Bedon, Emmanuel Judo, grand gaillard sympathique dont l'uniforme et la chaîne d'or brillaient comme des nez froids.

— Oui, dit le Religieux, parce que le Chevêche vient pour la Béniction. Venez, on va décorer le balcon des Musiciens avec tous les éléments qu'il y a dans ces boîtes.

— Il y a combien de musiciens? demanda le Chuiche.

— Septante-trois, dit le Bedon.

— Et quatorze Enfants de Foi, dit le Religieux fièrement.

Le Chuiche fit un long sifflement : « Fuuiiouou... »

— Et ils ne sont que deux à se marier! dit-il, admiratif.

— Oui, dit le Religieux. C'est comme ça avec les gens riches.

— Il y aura du monde? interrogea le Bedon.

— Beaucoup! dit le Chuiche. Je prendrai ma longue hallebarde rouge et ma canne à pomme rouge.

— Non, dit le Religieux. Il faut la hallebarde jaune et la canne violette, ça sera plus distingué.

Ils arrivaient au-dessous du balcon. Le Religieux ouvrit la petite porte dissimulée dans un des piliers supportant la voûte et l'ouvrit. L'un après l'autre, ils s'engagèrent dans l'étroit escalier en vis d'Archimède. Une vague lueur venait d'en haut.

Ils montèrent vingt-quatre tours de vis et s'arrêtèrent pour souffler.

— C'est dur! dit le Religieux.

Le Chuiche, le plus bas, approuva, et le Bedon, pris entre deux feux, se rendit à cette constatation.

— Encore deux tours et demi, dit le Religieux.

Ils émergèrent sur la plate-forme située à l'opposé de l'autel, à cent mètre au-dessus du sol, que l'on devinait à peine à travers le brouillard. Les nuages entraient sans façon dans l'église et traversaient la nef en flocons gris et amples.

— Il fera beau, dit le Bedon en reniflant l'odeur des nuages. Ils sentent le serpolet.

— Avec une trace d'aubifoin, dit le Chuiche, ça se sent aussi.

— J'espère que la cérémonie sera réussie! dit le Religieux.

Ils posèrent leurs cartons et commencèrent à garnir les chaises des Musiciens au moyen d'éléments décoratifs. Le Chuiche les dépliait, soufflait dessus pour les dépoussiérer et les passait au Bedon et au Religieux.

Au-dessus d'eux, les piliers montaient, montaient, et paraissaient se rejoindre très loin. La pierre mate, d'un beau blanc crème, caressée par le doux éclat du jour, réfléchissait partout une lumière légère et calme. Tout en haut, c'était bleu-vert.

— Il faudrait astiquer les microphones, dit le Religieux au Chuiche.

— Je déplie le dernier élément! dit le Chuiche, et je m'en occupe!

Il tira de sa besace un chiffon de laine rouge et se mit à frotter énergiquement le socle du premier microphone. Il y en avait quatre, disposés en rang devant les chaises de l'orchestre et combinés de telle façon qu'à chaque air correspondait une sonnerie de cloches à l'extérieur de l'église; cependant qu'à l'intérieur, on entendait la musique.

— Dépêche-toi, Joseph, dit le Religieux! Emmanuel et moi nous avons fini.

— Attendez-moi, dit le Chuiche, j'en ai pour cinq minutes d'indulgence.

Le Bedon et le Religieux remirent les couvercles des boîtes à éléments et les rangèrent sur un coin du balcon pour les retrouver après le mariage.

— Je suis prêt, dit le Chuiche!

Ils bouclèrent tous trois les courroies de leurs parachutes et s'élancèrent gracieusement dans le vide. Les trois grandes fleurs versicolores s'ouvrirent avec un clapotement soyeux, et, sans encombre, ils prirent pied sur les dalles polies de la nef.

XIX

— Tu me trouves jolie?

Chloé se mirait dans l'eau du bassin d'argent sablé où s'ébattait, sans gêne, le poisson rouge. Sur son épaule, la souris à moustaches noires se frottait le nez avec ses pattes et regardait les reflets changeants.

Chloé avait passé ses bas, fins comme une fumée d'encens, de la couleur de sa peau blonde et ses souliers hauts de cuir blanc. Pour tout le reste, elle était nue, sauf un lourd bracelet d'or bleu qui faisait paraître encore plus fragile son poignet délicat.

— Crois-tu qu'il faut que je m'habille?...

La souris se laissa glisser le long du cou rond de Chloé et prit appui sur un de ses seins. Elle la regarda d'en dessous et parut de cet avis.

— Alors, je te mets par terre! dit Chloé. Tu sais, tu retournes chez Colin ce soir. Tu diras au revoir aux autres ici!...

Elle posa la souris sur le tapis, regarda par la fenêtre, laissa retomber le rideau et s'approcha de son lit. Il y avait sa robe blanche, toute déployée, et les deux robes d'eau claire d'Isis et d'Alise.

— Vous êtes prêtes?

Dans la salle de bains, Alise aidait Isis à se coiffer. Elles portaient aussi déjà leurs chaussures et leurs bas.

— Nous n'allons pas très vite, vous ni moi, dit Chloé faussement sévère! Savez-vous, mes enfants, que je me marie ce matin?

— Tu as encore une heure! dit Alise.

— C'est bien assez, dit Isis. Tu es déjà coiffée!

Chloé rit en secouant ses boucles. Il faisait chaud dans la pièce pleine de vapeur et le dos d'Alise était si appétissant que Chloé le caressa doucement de ses paumes aplaties. Isis, assise devant la glace, prêtait sa tête docile aux gestes précis d'Alise.

— Tu me chatouilles! dit Alise qui commençait à rire.

Chloé la caressait exprès à l'endroit où ça chatouille, sur les côtés et jusqu'aux hanches. La peau d'Alise était chaude et vivante.

— Tu vas rater mon rouleau, dit Isis qui se faisait les ongles pour passer le temps.

— Vous êtes belles, toutes les deux, dit Chloé. C'est dommage que vous ne puissiez pas venir comme ça, j'aurais aimé que vous restiez avec vos bas et vos souliers seulement.

— Va t'habiller, bébé, dit Alise. Tu vas tout faire rater.

— Embrasse-moi, dit Chloé. Je suis si contente!

Alise l'expulsa de la salle de bains et Chloé s'assit sur son lit. Elle riait toute seule en voyant les dentelles de sa robe. Elle mit, pour commencer, un petit soutien-gorge de cellophane et une culotte de satin blanc que ses formes fermes faisaient tomber gentiment par-derrière.

XX

— Ça va? dit Colin.

— Pas encore, dit Chick.

Pour la quatorzième fois, Chick refaisait le nœud de cravate de Colin, et ça n'allait toujours pas.

— On pourrait essayer avec des gants, dit Colin.

— Pourquoi? demanda Chick. Ça ira mieux?

— Je ne sais pas, dit Colin. C'est une idée sans prétention.

— On a bien fait de s'y prendre en avance, dit Chick!

— Oui, dit Colin. Mais on sera quand même en retard si on n'y arrive pas.

— Oh! dit Chick. On va y arriver.

Il réalisa un ensemble de mouvements rapides étroitement associés et tira les deux bouts avec force. La cravate se brisa par le milieu et lui resta dans les doigts.

— C'est la troisième, remarqua Colin, l'air absent.

— Oh! dit Chick. Ça va... je le sais...

Il s'assit sur une chaise et se frotta le menton d'un air absorbé.

— Je ne sais pas ce qu'il y a, dit-il.

— Moi non plus, dit Colin. Mais c'est anormal.

— Oui, dit Chick, nettement. Je vais essayer sans regarder.

Il prit une quatrième cravate et l'enroula négligemment autour du cou de Colin, en suivant des yeux le vol d'un brouzillon, d'un air très intéressé. Il passa le gros bout sous le petit, le fit revenir dans la boucle, un tour vers la droite, le repassa dessous, et, par malheur, à ce moment-là, ses yeux tombèrent sur son ouvrage et la cravate se referma brutalement, lui écrasant l'index. Il laissa échapper un gloussement de douleur.

— Bougre de néant! dit-il. La vache!!!

— Elle t'a fait mal? demanda Colin compatissant.

Chick se suçait vigoureusement le doigt.

— Je vais avoir l'ongle tout noir, dit-il.

— Mon pauvre vieux! dit Colin.

Chick marmonna quelque chose et regarda le cou de Colin.

— Minute!... souffla-t-il. Le nœud est fait!... Bouge pas!...

Il recula avec précaution sans le quitter des yeux et

saisit sur la table, derrière lui, une bouteille de fixateur à pastel. Il porta lentement à sa bouche l'extrémité du petit tube à vaporiser et se rapprocha sans bruit. Colin chantonnait en regardant ostensiblement le plafond.

Le jet de pulvérin frappa la cravate en plein milieu du nœud. Elle eut un soubresaut rapide et s'immobilisa, clouée à sa place par le durcissement de la résine.

XXI

Colin sortit de chez lui, suivi de Chick. Ils allaient chercher Chloé à pied. Nicolas les rejoindrait directement à l'église. Il surveillait la cuisson d'un plat spécial, découvert dans le Gouffé et dont il attendait merveilles.

Il y avait sur le chemin une librairie devant laquelle Chick tomba en arrêt. Au beau milieu de l'étalage, un exemplaire du *Remugle* de Partre, relié de maroquin violet, aux armes de la Duchesse de Bovouard, scintillait, tel un précieux bijou.

— Oh! dit Chick. Regarde ça!...

— Quoi? dit Colin qui revint en arrière. Ah! Ça?...

— Oui, dit Chick.

Il commençait à baver de convoitise. Un petit ruisseau se formait entre ses pieds et prit le chemin du bord du trottoir, contournant les menues inégalités de la poussière.

— Eh bien? dit Colin. Tu l'as?...

— Pas relié comme ça!... dit Chick.

— Oh! La barbe! dit Colin. Viens, on est pressés.

— Il vaut au moins un ou deux doublezons, dit Chick.

— Certainement, dit Colin qui s'éloigna.

Chick fouilla ses poches.

— Colin! appela-t-il... prête-moi un peu d'argent.

Colin s'arrêta de nouveau. Il secoua la tête d'un air attristé.

— Je crois, dit-il, que les vingt-cinq mille doublezons que je t'ai promis ne dureront pas longtemps.

Chick rougit, baissa le nez, mais tendit la main. Il prit l'argent et s'élança dans la boutique. Colin attendait, soucieux. En voyant l'air hilare de Chick, il secoua de nouveau la tête, compatissant, cette fois, et un demi-sourire se dessina sur ses lèvres.

— Tu es fou, mon pauvre Chick! Combien l'as-tu payé?

— Ça n'a pas d'importance! dit Chick. Dépêchons-nous.

Ils se hâtèrent. Chick semblait monté sur dragons volants.

A la porte de Chloé, des gens regardaient la belle voiture blanche commandée par Colin et qu'on venait de livrer avec le chauffeur de cérémonie. A l'intérieur tout recouvert de fourrure blanche, on était bien au chaud et on entendait de la musique.

Le ciel restait bleu, les nuages légers et vagues. Il faisait froid sans exagération. L'hiver tirait à sa fin.

Le plancher de l'ascenseur se gonfla sous leurs pieds, et, dans un gros spasme mou, les déposa à l'étage. La porte s'ouvrit devant eux. Ils sonnèrent. On vint ouvrir. Chloé les attendait.

Outre son soutien-gorge de cellophane, sa petite culotte blanche et ses bas, elle avait deux épaisseurs de mousseline sur le corps, et un grand voile de tulle qui partait des épaules, laissant la tête entièrement libre.

Alise et Isis étaient habillées de la même façon, mais leurs robes étaient couleur d'eau. Leurs cheveux frisés brillaient dans le soleil et s'arrondissaient sur leurs épaules en masses lourdes et odorantes. On ne savait laquelle choisir. Colin savait. Il n'osa pas embrasser Chloé pour ne pas troubler l'harmonie de sa toilette et se rattrapa avec Isis et Alise. Elles se laissèrent faire de bon gré, voyant comme il était heureux.

Toute la chambre était pleine de fleurs blanches choisies par Colin, et, sur l'oreiller du lit défait, il y avait un pétale de rose rouge. L'odeur des fleurs et le parfum des filles se mêlaient étroitement et Chick se prenait pour une abeille en ruche. Alise portait une orchidée mauve dans les cheveux, Isis une rose écarlate et Chloé un gros camélia blanc. Elle tenait une gerbe de lys et un bracelet de feuilles

58

de lierre, toujours neuves et vernies de frais, brillait à côté de son gros bracelet d'or bleu. Sa bague de fiançailles était pavée de petits diamants carrés ou oblongs qui dessinaient en morse le nom de Colin. Dans un coin, sous une gerbe, apparaissait le sommet du crâne d'un cinématographiste qui tournait désespérément sa manivelle.

Colin posa quelques instants avec Chloé, puis ce furent Chick, Alise et Isis. Et tous se rassemblèrent alors, et suivirent Chloé qui pénétra la première dans l'ascenseur. Les câbles d'icelui s'allongèrent tant sous le poids de la trop lourde charge, qu'il n'y eut pas besoin d'appuyer sur le bouton, mais ils prirent soin de sortir tous d'un coup pour ne point remonter avec la cabine.

Le chauffeur ouvrit la porte. Les trois filles et Colin montèrent derrière, Chick se mit devant et l'on partit. Tous les gens se retournaient dans la rue et moulinaient les bras avec enthousiasme, croyant que c'était le Président, et puis repartaient dans leur direction en pensant à des choses brillantes et dorées.

L'église n'était pas très éloignée. La voiture décrivit une élégante cardioïde et s'arrêta en bas des marches.

Sur le perron, entre deux gros piliers sculptés, le Religieux, le Bedon et le Chuiche faisaient la parade avant la noce. Derrière eux, de longues draperies de soie blanche descendaient jusqu'au sol, et les quatorze enfants de Foi exécutaient un ballet. Ils étaient revêtus de blouses blanches, avec des culottes rouges et des souliers blancs. Au lieu de culottes, les filles portaient de petites jupes rouges plissées, et elles avaient une plume rouge dans les cheveux. Le Religieux tenait la grosse caisse, le Bedon jouait du fifre, et le Chuiche scandait le rythme avec des maracas. Ils chantaient tous trois le refrain en chœur, après quoi, le Chuiche esquissa un pas de claquettes, saisit une basse et exécuta un chorus sensationnel à l'archet sur une musique de circonstance.

Les septante-trois musiciens jouaient déjà sur leur balcon, et les cloches sonnaient à toute volée.

Il y eut un brusque accord dissonant, car le chef d'orchestre, qui s'était trop rapproché du bord, venait de tomber dans le vide, et le vice-chef prit la direction de l'ensemble. Au moment où le chef d'orchestre s'écrasa sur les dalles, ils firent un autre accord pour couvrir le bruit de la chute, mais l'église trembla sur sa base.

Colin et Chloé regardaient, émerveillés, la parade du Religieux, du Bedon et du Chuiche, et deux sous-Chuiches attendaient, par-derrière, à la porte de l'église, le moment de présenter la hallebarde.

Le Religieux fit un dernier roulement en jonglant avec les baguettes, le Bedon tira de son fifre un miaulement suraigu, qui fit entrer en dévotion la moitié des bigotes rangées tout le long des marches pour voir la mariée, et le Chuiche brisa dans un dernier accord, les cordes de sa contrebasse. Alors, les quatorze enfants de Foi descendirent les marches à la queue-leu-leu, et les filles se rangèrent à droite, les garçons à gauche de la porte de la voiture.

Chloé sortit. Elle était ravissante et radieuse dans sa robe blanche. Alise et Isis suivirent. Nicolas venait d'arriver et s'approcha du groupe. Colin prit le bras de Chloé, Nicolas celui d'Isis, et Chick celui d'Alise, et ils gravirent les marches, suivis des frères Desmaret, Coriolan à droite et Pégase à gauche, pendant que les enfants de Foi venaient par couples, en s'amignotant tout au long de l'escalier. Le Religieux, le Bedon et le Chuiche, après avoir rangé leurs instruments, dansaient une ronde en attendant.

Sur le perron, Colin et ses amis exécutèrent un mouvement compliqué, et se trouvèrent de la façon adéquate pour entrer dans l'église : Colin avec Alise, Nicolas au bras de Chloé, puis Chick et Isis, et enfin les frères Desmaret, mais, cette fois, Pégase à droite et Coriolan à gauche. Le Religieux et ses séides s'arrêtèrent de tourner, prirent la tête du cortège, et tous, chantant un vieux chœur grégorien, se ruèrent vers la porte. Les sous-Chuiches leur cassaient sur la tête, au passage, un petit ballon de cristal, mince, rempli d'eau lustrale, et leur plantaient, dans les cheveux, un bâtonnet d'encens allumé qui brûlait avec une flamme jaune pour les hommes et violette pour les femmes.

Les wagonnets étaient rangés à l'entrée de l'église. Colin et Alise s'installèrent dans le premier et partirent tout de suite. On tombait dans un couloir obscur qui sentait la religion. Le wagonnet filait sur les rails avec un bruit de tonnerre, et la musique retentissait avec une grande force. Au début du couloir, le wagonnet enfonça une porte, tourna à angle droit, et le Saint apparut dans une lumière verte. Il grimaçait horriblement et Alise se serra contre Colin. Des toiles d'araignées leur balayaient la figure et des fragments de prières leur revenaient à la mémoire. La seconde vision fut celle de la Vierge, et à la troisième, face à Dieu qui avait un œil au beurre noir et l'air pas content, Colin se rappelait toute la prière et put la dire à Alise.

Le wagonnet déboucha, dans un fracas assourdissant, sous la voûte de la travée latérale et s'arrêta. Colin descendit, laissa Alise gagner sa place et attendit Chloé qui émergea bientôt.

Ils regardèrent la nef. Il y avait une grande foule. Tous les gens qui les connaissaient étaient là, écoutant la musique et se réjouissant d'une si belle cérémonie.

Le Chuiche et le Bedon, cabriolant dans leurs beaux habits, apparurent, précédant le Religieux qui conduisait le Chevêche. Tout le monde se leva, et le Chevêche s'assit dans un grand fauteuil en velours. Le bruit des chaises sur les dalles était très harmonieux.

La musique s'arrêta soudain. Le Religieux s'agenouilla devant l'autel, tapa trois fois sa tête par terre et le Bedon se dirigea vers Colin et Chloé pour les mener à leur place tandis que le Chuiche faisait ranger les enfants de Foi des deux côtés de l'autel. Il y avait, maintenant, un très profond silence dans l'église et les gens retenaient leurs haleines.

Partout, de grandes lumières envoyaient des faisceaux de rayons sur des choses dorées qui les faisaient éclater dans tous les sens et les larges raies jaunes et violettes de l'église donnaient à la nef l'aspect de l'abdomen d'une énorme guêpe couchée, vue de l'intérieur.

Très haut, les musiciens commencèrent un chœur vague. Les nuages entraient. Ils avaient une odeur de coriandre et d'herbe des montagnes. Il faisait chaud dans l'église et on se sentait enveloppé d'une atmosphère bénigne et ouatée.

Agenouillés devant l'autel, sur deux prioirs recouverts de velours blanc, Colin et Chloé, la main dans la main, attendaient. Le Religieux, devant eux, compulsait rapidement un gros livre, car il ne se rappelait plus les formules. De temps à autre, il se retournait pour jeter un coup d'œil à Chloé dont il aimait bien la robe. Enfin, il s'arrêta de tourner les pages, se redressa, fit, de la main, un signe au chef d'orchestre qui attaqua l'ouverture.

Le Religieux prit son souffle et commença de chanter le cérémonial, soutenu par un fond de onze trompettes bouchées jouant à l'unisson. Le Chevêche somnolait doucement, la main sur la crosse. Il savait qu'on le réveillerait au moment de chanter à son tour.

L'ouverture et le cérémonial étaient écrits sur des thèmes classiques de blues. Pour l'Engagement, Colin avait demandé que l'on jouât l'arrangement de Duke Ellington sur un vieil air bien connu, *Chloé*.

Devant Colin, accroché à la paroi, on voyait Jésus sur une grande croix noire. Il paraissait heureux d'avoir été invité et regardait tout cela avec intérêt. Colin tenait la main de Chloé et souriait vaguement à Jésus. Il était un peu fatigué. La cérémonie lui revenait très cher, cinq mille doublezons et il était content qu'elle fût réussie.

Il y avait des fleurs tout autour de l'autel. Il aimait la musique que l'on jouait en ce moment. Il vit le Religieux devant lui et reconnut l'air. Alors, il ferma doucement les yeux, il se pencha un peu en avant et il dit : « Oui. »

Chloé dit « Oui » aussi et le Religieux leur serra vigoureusement la main. L'orchestre repartit de plus belle et le Chevêche se leva pour l'Exhortation. Le Chuiche se glissait entre deux rangées de personnes pour donner un grand coup de canne sur les doigts de Chick qui venait d'ouvrir son livre, au lieu d'écouter.

XXII

Le Chevêche était parti ; Colin et Chloé, debout dans la sacristoche, recevaient des poignées de main et des injures pour leur porter bonheur. D'autres gens leur donnaient des conseils pour la nuit, un camelot passa en leur proposant des photographies pour s'instruire. Ils commençaient à se sentir très las. La musique jouait toujours et les gens dansaient dans l'église où l'on servait la glace lustrale et les rafraîchissements pieux, avec des petits sandwiches à la morue. Le Religieux avait remis ses habits de tous les jours, avec un gros trou sur la fesse, mais il comptait se payer un surtout neuf avec le bénéfice pris sur les cinq mille doublezons. En plus, il venait d'escroquer l'orchestre, comme on fait toujours, et de refuser de payer le cachet du chef, puisque celui-ci était mort avant d'avoir commencé. Le Bedon et le Chuiche déshabillaient les enfants de Foi pour remettre leurs costumes en place, et le Chuiche se chargeait spécialement des petites filles. Les deux sous-Chiches, engagés comme extras, étaient partis. Le camion des peintureurs attendait dehors. Ils s'apprêtaient à enlever le jaune et le violet pour les remettre dans des petits pots tout dégoûtants.

Aux côtés de Colin et de Chloé, Alise et Chick, Isis et Nicolas, recevaient aussi des poignées de main. Les frères Desmaret en donnaient. Lorsque Pégase voyait son frère se rapprocher trop d'Isis qui était à ses côtés, il lui pinçait la hanche de toutes ses forces en le traitant d'inverti.

Il restait encore une douzaine de personnes. C'étaient les amis personnels de Colin et de Chloé qui devaient venir à la réception de l'après-midi. Ils sortirent tous de l'église en jetant un dernier regard aux fleurs de l'autel et sentirent l'air froid les frapper au visage en arrivant sur le perron. Chloé se mit à tousser et descendit les marches très vite pour entrer dans la voiture chaude. Elle se pelotonna sur les coussins et attendit Colin.

Les autres, sur le perron, regardaient partir les musiciens que l'on emmenait dans une voiture cellulaire parce qu'ils avaient tous des dettes. Ils étient serrés comme des sardines et soufflaient, pour se venger, dans leurs instruments, ce qui, de la part des violonistes, produisait un bruit abominable.

XXIII

De forme sensiblement carrée, assez élevée de plafond, la chambre de Colin prenait jour sur le dehors par une baie de cinquante centimètres de haut qui courait sur toute la longueur du mur à un mètre vingt du sol environ. Le plancher était recouvert d'un épais tapis orange clair et les murs tendus de cuir naturel.

Le lit ne reposait pas sur le tapis, mais sur une plateforme à mi-hauteur du mur. On y accédait par une petite échelle de chêne syracusé garnie de cuivre rouge-blanc. La niche formée par la plate-forme, sous le lit, servait de boudoir. Il s'y trouvait des livres et des fauteuils confortables, et la photographie du Dalaï-Lama.

Colin dormait encore. Chloé venait de se réveiller et le regardait. Elle avait les cheveux en désordre et paraissait encore plus jeune. Il ne restait, sur le lit, qu'un drap, celui de dessous, le reste avait voltigé dans toute la pièce, bien chauffée par des pompes à feu. Elle était maintenant assise, les genoux remontés sous le menton, et se frottait les yeux, puis s'étira et se laissa retomber en arrière et l'oreiller s'infléchit sous son poids.

Colin était étendu à plat ventre, les bras autour de son traversin, et bavait comme un vieux bébé. Chloé se mit à rire et s'agenouilla à côté de lui pour le secouer vigoureusement. Il se réveilla, se souleva sur les poignets, s'assit et l'embrassa avant d'ouvrir les yeux. Chloé se laissa faire avec une certaine complaisance, le guidant vers les places de choix. Elle avait une peau ambrée et savoureuse comme de la pâte d'amandes.

La souris grise à moustaches noires grimpa le long de l'échelle et vint les avertir que Nicolas attendait. Il se rappelèrent le voyage et bondirent hors du lit. La souris profitait de leur inattention pour puiser largement dans une grosse boîte de chocolats à la sapote qui se trouvait au chevet du lit.

Ils firent promptement leur toilette, mirent des costumes assortis et se hâtèrent vers la cuisine. Nicolas les avait invités à prendre le petit déjeuner dans son domaine. La souris les suivit et s'arrêta dans le couloir. Elle voulait voir pourquoi les soleils n'entraient pas aussi bien que d'habitude, et les engueuler à l'occasion.

— Alors, dit Nicolas, vous avez bien dormi?

Les yeux de Nicolas étaient cernés et son teint plus ou moins brouillé.

— Très bien, dit Chloé qui se laissa tomber sur une chaise, car elle avait du mal à se tenir debout.

— Et toi? demanda Colin qui glissa et se retrouva assis par terre, sans faire aucun effort pour se rattraper.

— Moi, dit Nicolas, j'ai racompagné Isis chez elle et elle m'a fait boire, comme il se doit.

— Ses parents n'étaient pas là? demanda Chloé.

— Non, dit Nicolas. Il y avait juste ses deux cousines, et elles ont absolument voulu que je reste.

— Elles avaient quel âge? demanda Colin insidieusement.

— Je ne sais pas, dit Nicolas. Mais, au toucher, je donnerais seize ans à l'une et dix-huit ans à l'autre.

— Tu as passé la nuit là-bas? demanda Colin.

— Euh!... dit Nicolas... Elles étaient toutes les trois un peu éméchées, alors... j'ai dû les mettre au lit. Le lit d'Isis est très grand... Il y avait encore une place. Je n'ai pas voulu vous réveiller, alors, j'ai dormi avec elles.

— Dormi?... dit Chloé... Le lit devait être très dur parce que tu as bien mauvaise mine...

Nicolas toussa d'une façon peu naturelle et s'affaira autour des appareils électriques.

— Goûtez ça, dit-il pour changer la conversation.

C'étaient des abricots fourrés aux dattes et aux pruneaux dans un sirop onctueux et caramélisé sur le dessus.

— Est-ce que tu pourras conduire? demanda Colin.

— J'essaierai, dit Nicolas.

— C'est bon, ça, dit Chloé. Prends-en avec nous, Nicolas.

— Je préfère quelque chose de plus remontant, dit Nicolas.

Il se confectionna un horrible breuvage sous les yeux de Colin et de Chloé. Il y avait du vin blanc, une cuillerée de vinaigre, cinq jaunes d'œufs, deux huîtres, et cent grammes de viande hachée avec de la crème fraîche et une pincée d'hyposulfite de soude. Le tout descendit dans son gosier, en faisant le bruit d'un cyclotron en pleine vitesse.

— Alors? demanda Colin, qui s'étranglait presque de rire en voyant la grimace de Nicolas.

— Ça va... répondit Nicolas avec effort.

Effectivement, les cernes disparurent subitement de ses yeux comme si l'on y avait passé de la benzine, et son teint s'éclaircit visiblement. Il s'ébroua, serra les poings et rugit. Chloé le regardait, un peu inquiète.

— Tu n'as pas mal au ventre? Nicolas?

— Pas du tout!... brailla Nicolas. C'est fini. Je vous donne la suite et puis, on va s'en aller.

XXIV

La grande voiture blanche se frayait précautionneuse- ment un chemin dans les ornières de la route. Colin et Chloé, assis derrière, regardaient le paysage avec un certain malaise. Le ciel était bas, des oiseaux rouges volaient au ras des fils télégraphiques en montant et descendant comme eux, et leurs cris aigres se reflétaient sur l'eau plombée des flaques.

— Pourquoi est-on passés par là? demanda Chloé à Colin.

— C'est un raccourci, dit Colin. C'est obligatoire. La route ordinaire est usée. Tout le monde a voulu y rouler parce qu'il y faisait beau tout le temps, et, maintenant, il ne reste plus que celle-ci. Ne t'inquiète pas. Nicolas sait conduire.

— C'est cette lumière, dit Chloé.

Son cœur battait vite, comme serré dans une coque trop dure. Colin passa son bras autour de Chloé, et prit le cou gracieux entre ses doigts, sous les cheveux, comme on prend un petit chat.

— Oui, dit Chloé en rentrant la tête dans les épaules, car Colin la chatouillait, touche-moi, j'ai peur toute seule...

— Veux-tu que je mette les glaces jaunes? dit Colin.

— Mets quelques couleurs...

Colin pressa des boutons verts, bleus, jaunes, rouges et les glaces correspondantes remplacèrent celles de la voiture. On se serait cru dans un arc-en-ciel, et, sur la fourrure blanche, des ombres bariolées dansaient au passage de chaque poteau télégraphique. Chloé se sentit mieux.

Il y avait, des deux côtés de la route, une mousse rase et maigre, d'un vert décoloré, et, de temps à autre, un arbre tordu et échevelé. Pas un souffle de vent ne ridait les nappes de boue qui giclaient sous les roues de la voiture. Nicolas peinait dur pour garder le contrôle de la direction et se maintenait avec effort au milieu de la chaussée effondrée.

Il se retourna un instant.

— Ne vous en faites pas, dit-il à Chloé, ça ne va pas durer. La route change bientôt.

Chloé se tourna vers la glace à sa droite et frissonna. Une bête écailleuse les regardait, debout près d'un poteau télégraphique.

— Regarde, Colin... Qu'est-ce que c'est?...

Colin regarda.

— Je ne sais pas, dit-il. Ça... ça n'a pas l'air méchant...

— C'est un des hommes qui entretiennent les lignes, dit Nicolas par-dessus son épaule. Ils sont habillés comme ça pour que la boue n'entre pas jusqu'à eux...

— C'était... c'était très laid... murmura Chloé.

Colin l'embrassa.

— N'aie pas peur, ma Chloé, c'était juste un homme...

Sous les roues, le sol paraissait plus ferme. Une vague lueur teintait l'horizon.

— Regarde, dit Colin. C'est le soleil...

Nicolas secoua négativement la tête.

— Ce sont les mines de cuivre, dit-il. On va les traverser.

La souris, à côté de Nicolas, dressa l'oreille.

— Oui, dit Nicolas. Il va faire chaud.

La route tourna plusieurs fois. La boue, maintenant, commençait à fumer. La voiture était environnée de vapeurs blanches à forte odeur de cuivre. Puis, la boue durcit complètement et la chaussée émergea, craquelée et poussiéreuse. Loin devant, l'air vibrait comme au-dessus d'un grand four.

— Je n'aime pas ça, dit Chloé. On ne peut pas passer d'un autre côté?

— Il n'y a que ce chemin, dit Colin. Veux-tu le livre de Gouffé?... Je l'ai pris...

Ils n'avaient pas emmené d'autres bagages, comptant tout acheter en route.

— On baisse les glaces de couleur? dit encore Colin.

— Oui, dit Chloé. Maintenant, la lumière est moins mauvaise

Brusquement, la route tourna de nouveau et ils se trouvèrent au milieu des mines de cuivre. Elles s'étageaient des deux côtés, de quelques mètres en contrebas. D'immenses étendues de cuivre verdâtre, à l'infini, déroulaient leur aridité. Des centaines d'hommes, vêtus de combinaisons hermétiques, s'agitaient autour des feux. D'autres empilaient, en pyramides régulières, le combustible que l'on amenait sans cesse dans des wagonnets électriques. Le cuivre, sous l'effet de la chaleur, fondait et coulait en ruisseaux rouges frangés de scories spongieuses et dures comme de la pierre. De place en place, on le rassemblait dans de grands réservoirs où des machines le pompaient et le transvasaient dans des tuyaux ovales.

— Quel travail terrible!... dit Chloé.

— C'est assez bien payé, dit Nicolas.

Quelques hommes s'étaient arrêtés pour voir passer la voiture. On ne voyait, dans leurs yeux, qu'une pitié un peu narquoise. Ils étaient larges et forts, ils avaient l'air inaltérable.

— Ils ne nous aiment pas, dit Chloé. Allons-nous-en d'ici.

— Ils travaillent... dit Colin.

— Ce n'est pas une raison, dit Chloé.

Nicolas accéléra un peu. La voiture filait sur la route craquelée, dans la rumeur des machines et du cuivre en fusion.

— On va bientôt rejoindre l'ancienne route, dit Nicolas.

XXV

— Pourquoi sont-ils si méprisants? demanda Chloé. Ce n'est pas tellement bien de travailler...

— On leur a dit que c'était bien, dit Colin. En général, on trouve ça bien. En fait, personne ne le pense. On le fait par habitude et pour ne pas y penser, justement.

— En tout cas, c'est idiot de faire un travail que des machines pourraient faire.

— Il faut construire des machines, dit Colin. Qui le fera?

— Oh! Évidemment, dit Chloé. Pour faire un œuf, il faut une poule, mais, une fois qu'on a la poule, on peut avoir des tas d'œufs. Il vaut donc mieux commencer par la poule.

— Il faudrait savoir, dit Colin, qui empêche de faire des machines. C'est le temps qui doit manquer. Les gens perdent leur temps à vivre, alors, il ne leur en reste plus pour travailler.

— Ce n'est pas plutôt le contraire? dit Chloé.

— Non, dit Colin. S'ils avaient le temps de construire les machines, après ils n'auraient plus besoin de rien faire. Ce que je veux dire, c'est qu'ils travaillent pour vivre au lieu de travailler à construire des machines qui les feraient vivre sans travailler.

— C'est compliqué, estima Chloé.

— Non, dit Colin. C'est très simple. Ça devrait, bien

entendu, venir progressivement. Mais, on perd tellement de temps à faire des choses qui s'usent...

— Mais, tu crois qu'ils n'aimeraient pas mieux rester chez eux et embrasser leur femme et aller à la piscine et aux divertissements?

— Non, dit Colin. Parce qu'ils n'y pensent pas.

— Mais, est-ce que c'est leur faute si ils croient que c'est bien de travailler?

— Non, dit Colin, ce n'est pas leur faute. C'est parce qu'on leur a dit : « Le travail, c'est sacré, c'est bien, c'est beau, c'est ce qui compte avant tout, et seuls les travailleurs ont droit à tout. » Seulement, on s'arrange pour les faire travailler tout le temps et alors ils ne peuvent pas en profiter.

— Mais, alors, ils sont bêtes? dit Chloé.

— Oui, ils sont bêtes, dit Colin. C'est pour ça qu'ils sont d'accord avec ceux qui leur font croire que le travail c'est ce qu'il y a de mieux. Ça leur évite de réfléchir et de chercher à progresser et à ne plus travailler.

— Parlons d'autre chose, dit Chloé. C'est épuisant, ces sujets-là. Dis-moi si tu aimes mes cheveux...

— Je t'ai déjà dit...

Il la prit sur ses genoux. De nouveau il se sentait complètement heureux.

— Je t'ai déjà dit que je t'aimais bien en gros et en détail.

— Alors, détaille, dit Chloé, en se laissant aller dans les bras de Colin, câline comme une couleuvre.

XXVI

— Pardon, Monsieur, dit Nicolas. Monsieur désire-t-il que nous descendions ici?

L'auto s'était arrêtée devant un hôtel au bord de la route. C'était la bonne route, lisse, moirée de reflets photogéniques, avec des arbres parfaitement cylindriques des deux côtés, de l'herbe fraîche, du soleil, des vaches dans les champs, des barrières vermoulues, des haies en fleur, des pommes aux pommiers et des feuilles mortes en petits tas, avec de la neige de place en place pour varier le paysage, des palmiers, des mimosas et des pins du Nord dans le jardin de l'hôtel et un garçon roux et ébouriffé qui conduisait deux moutons et un chien ivre. D'un côté de la route, il y avait du vent et de l'autre pas. On choisissait celui qui vous plaisait. Un arbre sur deux, seulement, donnait de l'ombre, et, dans un seul des fossés, on trouvait des grenouilles.

— Descendons ici, dit Colin. Aussi bien, nous n'arriverons pas au Sud aujourd'hui.

Nicolas ouvrit la portière et mit pied à terre. Il portait un beau costume de chauffeur en cuir de porc et une élégante casquette assortie. Il recula de deux pas et regarda la voiture. Colin et Chloé descendirent aussi.

— Notre véhicule est passablement souillé, dit Nicolas. C'est toute cette boue que nous avons traversée.

— Ça ne fait rien, dit Chloé, on va le faire laver à l'hôtel...

— Entre, et va voir si ils ont des chambres, dit Colin, et de quoi se nutritionner.

— Très bien, Monsieur, dit Nicolas, portant la main à sa casquette, et plus exaspérant que jamais.

Il poussa la barrière de chêne cirée dont la poignée recouverte de velours lui donna le frisson. Ses pas firent craquer le gravier et il monta les deux marches. La porte vitrée céda sous sa poussée et il disparut dans le bâtiment.

Les jalousies étaient baissées et l'on n'entendait aucun bruit. Le soleil cuisait doucement les pommes tombées et les faisait éclore en petits pommiers verts et frais, qui fleurissaient instantanément et donnaient des pommes plus petites encore. A la troisième génération, on ne voyait plus guère qu'une sorte de mousse verte et rose où des pommes minuscules roulaient comme des billes.

Quelques bestioles zonzonnaient dans le soleil, se rendant à des tâches incertaines, et dont certaines consistaient en une rapide giration sur place. Du côté venteux de la route, les graminées se courbaient en sourdine, des feuilles voltigeaient avec un froissement léger. Quelques insectes à élytres tentaient de remonter le courant en produisant un petit clapotis semblable à celui des roues d'un vapeur cinglant vers les grands lacs.

Colin et Chloé, l'un près de l'autre, se laissaient insoler sans rien dire et leurs cœurs battaient, tous deux, sur un rythme de boogie.

La porte vitrée grinça faiblement. Nicolas réapparut. Sa casquette était de travers et son costume en désordre.

— Ils t'ont mis dehors? demanda Colin.

— Non, Monsieur, dit Nicolas. Ils peuvent recevoir Monsieur et Madame, et s'occuper de la voiture.

— Que t'est-il arrivé? demanda Chloé.

— Euh!... dit Nicolas. Le patron n'est pas là... J'ai été reçu par sa fille...

— Arrange-toi, dit Colin. Tu n'es pas correct.

— Je prie Monsieur de m'excuser, dit Nicolas, mais j'ai pensé que deux chambres valaient un sacrifice...

— Va te mettre en civil, dit Colin, et recommence à parler normalement. Tu me mets les nerfs en bobines!...

Chloé s'arrêta pour jouer avec un petit tas de neige.

Les flocons, doux et frais, restaient blancs et ne fondaient pas.

— Regarde comme elle est jolie, dit-elle à Colin.

Sous la neige, il y avait des primevères, des bleuets et des coquelicots.

— Oui, dit Colin. Mais tu as tort de toucher ça. Tu vas avoir froid.

— Oh! non, dit Chloé, et elle se mit à tousser comme une étoffe de soie qui se déchire.

— Ma Chloé, dit Colin en l'entourant de ses bras, ne tousse pas comme ça, tu me fais mal!

Elle lâcha la neige qui tomba lentement comme du duvet et se remit à briller au soleil.

— Je n'aime pas cette neige, murmura Nicolas.

Il se reprit aussitôt.

— Je prie Monsieur de m'excuser pour la liberté de ce langage.

Colin retira un de ses souliers et le précipita à la figure

de Nicolas qui se baissa pour gratter une petite tache à son pantalon, et se releva au bruit du verre cassé.

— Oh! Monsieur... dit Nicolas avec reproche, c'est la fenêtre de la chambre de Monsieur!...

— Eh bien, tant pis! dit Colin. Ça nous aérera... Et puis, ça t'apprendra à parler comme un idiot...

Il se dirigea à cloche-pied, aidé par Chloé, vers la porte de l'hôtel. Le carreau cassé commençait à repousser. Une mince pellicule se formait sur les bords du châssis, opalescente et irisée d'éclats incertains, aux couleurs vagues et changeantes.

XXVII

— As-tu bien dormi? demanda Colin.

— Pas mal, et toi? dit Nicolas, en civil cette fois.

Chloé bâilla et prit le pichet de sirop de câpres.

— Ce carreau m'a empêché de dormir, dit-elle.

— Il n'est pas fermé? demanda Nicolas.

— Pas tout à fait, dit Chloé. La fontanelle est encore assez ouverte pour laisser passer un fameux courant d'air. Ce matin, j'avais la poitrine toute pleine de cette neige...

— C'est assommant, dit Nicolas. Je vais les engueuler sévèrement. Au fait, on repart ce matin?

— Après midi, dit Colin.

— Faudra que je remette ma tenue de chauffeur, dit Nicolas.

— Oh! Nicolas... dit Colin. Si tu continues... je...

— Oui, dit Nicolas, mais pas maintenant.

Il engloutit son bol de sirop de câpres et termina ses tartines.

— Je vais faire un tour à la cuisine, annonça-t-il en se levant et en rectifiant son nœud de cravate au moyen d'un alésoir de poche.

Il quitta la pièce et on entendit le bruit de ses pas décroître en direction, probable, de la cuisine.

— Qu'est-ce que tu veux qu'on fasse, ma Chloé? demanda Colin.

— S'embrasser, dit Chloé.

— Sûr!... répondit Colin. Mais après?

— Après, dit Chloé, je ne peux pas le dire tout haut.

— Bon, dit Colin, mais après?

— Après, dit Chloé, il sera l'heure de déjeuner. Prends-moi dans tes bras. J'ai froid. C'est cette neige...

Le soleil entrait à vagues dorées dans la pièce.

— Il ne fait pas froid ici, dit Colin.

— Non, dit Chloé en se serrant contre lui, mais j'ai froid. Après, j'écrirai à Alise...

XXVIII

Dès le début de la rue, la foule se bousculait pour accéder à la salle où Jean-Sol donnait sa conférence.

Les gens utilisaient les ruses les plus variées pour déjouer la surveillance du cordon sanitaire chargé d'examiner la validité des cartes d'invitation, car on en avait mis en circulation de fausses par dizaines de milliers.

Certains arrivaient en corbillard et les gendarmes plongeaient une longue pique d'acier dans le cercueil, les clouant au chêne pour l'éternité, ce qui évitait de les en sortir pour l'inhumation et ne causait de tort qu'aux vrais morts éventuels dont le linceul se trouvait bousillé. D'autres se faisaient parachuter par avion spécial (et l'on se battait aussi au Bourget pour monter en avion). Une équipe de pompiers prenaient ceux-là pour cible et, au moyen de lances d'incendie, les déviaient vers la scène où ils se noyaient misérablement. D'autres, enfin, tentaient d'arriver par les égouts. On les repoussait à grands coups de souliers ferrés sur les jointures au moment où ils s'agrippaient au rebord pour se rétablir et sortir, et les rats se chargeaient du reste. Mais rien ne décourageait ces passionnés. Ce n'étaient pas les mêmes, il faut cependant l'avouer, qui se noyaient et qui persévéraient dans leurs tentatives, et la rumeur montait vers le zénith, se répercutant sur les nuages en un roulement caverneux.

Seuls les purs, les au courant, les intimes, avaient de

vraies cartes, très facilement reconnaissables des fausses, et, pour cette raison, passaient sans encombre par une allée étroite, ménagée au ras des maisons et gardée, tous les cinquante centimètres, par un agent secret, déguisé en servo-frein. Ils étaient, néanmoins, en fort grand nombre, et la salle, déjà pleine, continuait d'accueillir, de seconde en minute, de nouveaux arrivants.

Chick était dans la place depuis la veille. Il avait, à prix d'or, obtenu du concierge le droit de le remplacer, et, pour rendre ce remplacement possible, brisé la jambe gauche dudit concierge, au moyen d'un anspect de rechange. Il ne ménageait pas les doublezons lorsqu'il s'agissait de Partre. Alise et Isis attendaient avec lui l'arrivée du conférencier. Elles venaient de passer la nuit là, très désireuses de ne pas manquer l'événement. Chick, dans son uniforme vert foncé de concierge, était séduisant au possible. Il négligeait beaucoup son travail depuis qu'il était entré en possession des vingt-cinq mille doublezons de Colin.

Le public qui se pressait là présentait des aspects bien particuliers. Ce n'étaient que visages fuyants à lunettes, cheveux hérissés, mégots jaunis, renvois de nougats et, pour les femmes, petites nattes miteuses ficelées autour du crâne et canadiennes portées à même la peau, avec échappées en forme de tranches de seins sur fond d'ombre.

Dans la grande salle du rez-de-chaussée, au plafond mi-vitré, mi-décoré de fresques à l'eau lourde, et bien propres à faire naître, dans l'esprit des assistants, des doutes sur l'intérêt d'une existence peuplée de formes féminines aussi décourageantes, on se rassemblait de plus belle, et les tard venus n'avaient que la ressource de rester au fond sur un pied, l'autre servant à écarter les voisins trop proches. Une loge spéciale, dans laquelle trônaient la duchesse de Bovouard et sa suite attirait les regards d'une foule presque exsangue et insultait, par son luxe de bon aloi, au caractère provisoire des dispositions personnelles d'un rang de philosophes montés sur pliants.

L'heure de la conférence approchait et la foule devenait fébrile. Un chahut commençait à s'organiser dans le fond, quelques étudiants cherchant à semer le doute dans les esprits en déclamant à haute voix des passages tronqués dilatoirement du *Serment sur la Montagne,* de la baronne Orczy.

Mais, Jean-Sol approchait. Des sons de trompe d'éléphant se firent entendre dans la rue et Chick se pencha par la fenêtre de sa loge. Au loin, la silhouette de Jean-Sol émergeait d'un houdah blindé, sous lequel le dos de l'éléphant, rugueux et ridé, prenait un aspect insolite à la lueur d'un phare rouge. A chaque angle du houdah, un tireur d'élite, armé d'une hache, se tenait prêt. A grandes enjambées, l'éléphant se frayait un chemin dans la foule et le piétinement sourd des quatre piliers s'agitant dans les corps écrasés se rapprochait inexorablement. Devant la porte, l'éléphant s'agenouilla et les tireurs d'élite descendirent. D'un bond gracieux, Partre sauta au milieu d'eux et, ouvrant la route à coups de hache, ils progressèrent vers l'estrade. Les agents refermèrent les portes et Chick se précipita dans un couloir dérobé qui aboutissait derrière l'estrade, poussant devant lui Isis et Alise.

Le fond de l'estrade était garni d'une tenture de velours enkysté, dans laquelle Chick avait percé des trous pour voir. Ils s'assirent sur des coussins et attendirent. A un mètre d'eux, à peine, Partre se préparait à lire sa conférence. Il émanait de son corps souple et ascétique une radiance extraordinaire, et le public, captivé par le charme redoutable qui parait ses moindres gestes, attendait, anxieux, le signal du départ.

Nombreux étaient les cas d'évanouissement dus à l'exaltation intra-utérine qui s'emparait particulièrement du public féminin, et, de leur place, Alise, Isis et Chick entendaient distinctement le halètement des vingt-quatre spectateurs qui s'étaient faufilés sous l'estrade et se déshabillaient à tâtons pour tenir moins de place.

— Tu te rappelles? demanda Alise en regardant Chick avec tendresse.

— Oui, dit Chick. C'est là qu'on s'est connus...

Il se pencha vers Alise et l'embrassa doucement.

— Vous étiez là-dessous? demanda Isis.

— Oui, dit Alise. C'était très agréable.

— Je le crois, dit Isis. Qu'est-ce que c'est que ça, Chick ?

Chick se mettait à ouvrir une grosse caisse noire à côté de laquelle il s'était assis.

— C'est un enregistreur, dit-il. Je l'ai acheté en prévision de la conférence.

— Oh! dit Isis. Quelle bonne idée!... Comme ça on n'aura pas besoin d'écouter!...

— Oui, dit Chick. Et en rentrant, on pourra l'écouter toute la nuit, si on veut, mais on ne le fera pas pour ne pas abîmer les disques. Je les ferai doubler avant et peut-être que je demanderai à la maison « Le Cri du Patron » de m'en sortir un tirage commercial.

— Ça a dû vous coûter très cher, dit Isis.

— Oh! dit Chick. Ça n'a pas d'importance!...

Alise soupira. Un soupir si léger qu'elle fut la seule à l'entendre... et elle l'entendit à peine.

— Ça y est!... dit Chick! Il commence. J'ai mis mon micro avec ceux de la radio officielle qui sont sur sa table, ils ne s'en apercevront pas.

Jean-Sol venait de débuter. On n'entendit, tout d'abord, que le cliquetis des obturateurs. Les photographes et les reporters de la presse et du cinéma s'en donnaient à cœur joie. Mais l'un d'eux fut renversé par le recul de son appareil et une horrible confusion s'ensuivit. Ses confrères, furieux, se ruèrent sur lui et l'arrosèrent de poudre de magnésium. Il disparut dans un éclair éblouissant, à la satisfaction générale, et les agents emmenèrent en prison tous ceux qui restaient.

— Merveilleux! dit Chick. Je serai le seul à avoir l'enregistrement.

Le public, qui s'était tenu à peu près calme jusqu'ici, commençait à s'énerver et manifestait son admiration pour Partre à grand renfort de cris et d'acclamations, chaque fois qu'il disait un mot, ce qui rendait assez difficile la compréhension parfaite du texte.

— Ne cherchez pas à tout piger, dit Chick. On écoutera l'enregistrement à loisir.

— Surtout qu'ici on n'entend rien, dit Isis. Il ne fait pas plus de bruit qu'une souris. Au fait avez-vous des nouvelles de Chloé?

— J'ai reçu une lettre d'elle, dit Alise.

— Sont-ils enfin arrivés?

— Oui, ils ont réussi à partir, mais ils vont abréger leur séjour là-bas, car Chloé n'est pas très bien portante, dit Alise.

— Et Nicolas? demanda Isis.

— Il va bien. Chloé me dit qu'il s'est horriblement mal conduit avec toutes les filles des hôteliers chez qui ils se sont arrêtés.

— Il est bien, Nicolas, dit Isis. Je me demande pourquoi il est cuisinier.

— Oui, dit Chick, c'est drôle.

— Pourquoi ça? dit Alise. Je trouve ça mieux que d'être collectionneur de Partre, ajouta-t-elle en pinçant l'oreille de Chick.

— Mais Chloé n'est pas gravement malade? demanda Isis.

— Elle ne me dit pas ce qu'elle a, dit Alise. Elle a mal dans la poitrine.

— Elle est si jolie, Chloé, dit Isis. Je ne peux pas me figurer qu'elle soit malade.

— Oh! souffla Chick, regardez!...

Une partie du plafond venait de se soulever et une rangée de têtes apparut. D'audacieux admirateurs venaient de se faufiler jusqu'à la verrière, et d'effectuer cette opération délicate. Il y en avait d'autres qui les poussaient et les premiers s'agrippaient énergiquement aux rebords de l'ouverture.

— Ils n'ont pas tort, dit Chick. Cette conférence est remarquable!...

Partre s'était levé et présentait au public des échantillons de vomi empaillé. Le plus joli, pomme crue et vin rouge, obtint un franc succès. On commençait à ne plus s'entendre, même derrière le rideau où se trouvaient Isis, Alise et Chick.

— Enfin, dit Isis. Quand seront-ils là?

— Demain ou après-demain, dit Alise.

— Cela fait si longtemps qu'on ne les a vus!... dit Isis.

— Oui, dit Alise, depuis leur mariage...

— C'était si réussi, ce mariage, conclut Isis.

— Oui, dit Chick. C'est ce soir-là que Nicolas t'a raccompagnée...

Heureusement, la totalité du plafond s'abattit dans la salle, évitant à Isis de donner des détails. Une épaisse poussière s'éleva. Dans les plâtras, des formes blanchâtres s'agitaient, titubaient et s'effondraient, asphyxiées par le nuage lourd qui planait au-dessus des débris. Partre s'était arrêté et riait de bon cœur en se tapant sur les cuisses, heureux de voir tant de gens engagés dans cette aventure. Il avala une grande goulée de poussière et se mit à tousser comme un fou.

Chick, fébrile, tournait des boutons sur son enregistreur. Il produisit une grosse lueur verte qui s'enfuit au ras du sol et disparut dans une fente du parquet. Une seconde, puis une troisième suivirent, et il coupa le courant juste au moment où une sale bête, pleine de pattes, allait sortir du moteur.

— Qu'est-ce que je fais? dit-il. Il est bloqué. C'est la poussière dans le micro.

Le pandémonium dans la salle était à son comble. Partre, maintenant, buvait à même la carafe et se préparait à s'en aller car il venait de lire sa dernière feuille. Chick se décida.

— Je vais lui offrir de sortir par là, dit-il. Filez devant, je vous rejoins.

XXIX

En passant dans le couloir, Nicolas s'arrêta. Les soleils entraient décidément mal. Les carreaux de céramique jaune paraissaient ternis et voilés d'une légère brume, et les rayons, au lieu de rebondir en gouttelettes métalliques, s'écrasaient sur le sol pour s'étaler en flaques minces et paresseuses. Les murs, pommelés de soleil, ne brillaient plus uniformément, comme avant.

Les souris ne paraissaient pas spécialement gênées par ce changement, sauf la grise à moustaches noires dont l'air profondément ennuyé frappait dès l'abord. Nicolas supposa qu'elle regrettait l'arrêt inopiné du voyage et les relations qu'elle avait pu se faire en route.

— Tu n'es pas contente? demanda-t-il.

La souris eut un geste de dégoût et montra les murs.

— Oui, dit Nicolas. C'est pas ça. Avant, ça allait mieux. Je ne sais pas ce qu'il y a...

La souris parut réfléchir un instant, puis hocha la tête et ouvrit les bras d'un air incompréhensif.

— Moi non plus, dit Nicolas, je ne comprends pas. Même quand on frotte, ça ne change rien. C'est probablement l'atmosphère qui devient corrosive...

Il s'arrêta, pensif, et hocha la tête à son tour, puis reprit sa route. La souris se croisa les bras et se mit à mâchonner d'un air absent, puis recracha précipitamment en sentant le goût du chewing-gum pour chats. Le marchand s'était trompé.

Dans la salle à manger, Chloé déjeunait avec Colin.

— Alors? demanda Nicolas. Ça va mieux?

— Tiens, dit Colin, tu te décides à parler comme tout le monde?

— Je n'ai pas mes souliers, expliqua Nicolas.

— Ça ne va pas mal, dit Chloé.

Elle avait les yeux brillants et le teint vif, et l'air heureux de se retrouver à la maison.

— Elle a mangé la moitié de la tarte au poulet, dit Colin.

— Ça me fait plaisir, dit Nicolas. Celle-là n'était pas de Gouffé.

— Qu'est-ce que tu veux faire, aujourd'hui, Chloé? demanda Colin,

— Oui, dit Nicolas, est-ce qu'on déjeune tôt ou tard?

— J'aimerais sortir avec vous deux et Isis et Chick et Alise, et aller à la patinoire et dans les magasins et dans une surprise-partie, dit Chloé, et m'acheter une bague verte à système.

— Bon, dit Nicolas, alors je vais me mettre tout de suite à ma cuisine.

— Fais la cuisine en civil, Nicolas, dit Chloé, c'est tellement moins fatigant pour nous. Et puis, tu seras prêt tout de suite.

— Je vais passer prendre de l'argent dans mon coffre à doublezons, dit Colin, et toi, Chloé, téléphone aux amis. On va faire une belle sortie.

— Je téléphone, dit Chloé.

Elle se leva et courut au téléphone. Elle décrocha le récepteur et imita le cri du chat-huant pour avertir qu'elle voulait parler à Chick.

Nicolas débarrassa la table en appuyant sur un petit levier et la vaisselle sale s'achemina vers l'évier par un gros tube pneumatique qui se dissimulait sous le tapis. Il quitta la pièce et regagna le couloir.

La souris, debout sur les pattes de derrière, grattait avec ses mains un des carreaux terni. Là où elle avait gratté, ça brillait de nouveau.

— Eh bien! dit Nicolas. Tu y arrives!!... C'est remarquable!

La souris s'arrêta, haletante, et montra à Nicolas le bout de ses mains écorchées et sanglantes.

— Oh! dit Nicolas. Tu t'es fait mal!... Viens, laisse ça. Après tout, il y a encore ici beaucoup de soleil. Viens, je vais te panser...

Il la mit dans sa poche de poitrine et elle laissait pendre au-dehors ses pauvres pattes abîmées, essoufflée, les yeux mi-clos.

Colin tournait les boutons de son coffre à doublezons avec une grande rapidité et fredonnait. Il n'était plus tenaillé par l'inquiétude de ces derniers jours et se sentait le cœur en forme d'orange. Le coffre était de marbre blanc incrusté d'ivoire, et les boutons d'améthyste vert-noir. Le niveau indiquait soixante mille doublezons.

Le couvercle bascula avec un claquement huilé, et Colin cessa de sourire. Le niveau, bloqué pour on ne sait quelle raison, venait de se fixer, après deux ou trois oscillations, à trente-cinq mille doublezons. Il plongea la main dans le coffre, et vérifia rapidement l'exactitude du dernier chiffre. Faisant un rapide calcul mental, il en constata la vraisemblance. Sur cent mille, il en avait donné vingt-cinq mille à Chick pour épouser Alise, quinze mille pour la voiture, cinq mille pour la cérémonie... le reste avait filé tout naturellement. Ceci le rassura un peu.

— C'est normal, dit-il à voix haute, et sa voix lui parut étrangement altérée.

Il prit ce qu'il lui fallait, hésita, en remit la moitié avec un geste de lassitude et referma la porte. Les boutons tournèrent rapidement en faisant un petit cliquettement clair. Il tapota le cadran du niveau et vérifia qu'il indiquait bien la somme contenue.

Puis, il se releva. Il resta debout pendant quelques instants, s'étonnant de l'énormité des sommes qu'il avait dû engager pour donner à Chloé ce qu'il jugeait digne d'elle et sourit en pensant à Chloé décoiffée, le matin, dans le lit, et à la forme du drap sur son corps étendu et à la couleur d'ambre de sa peau lorsqu'il enlevait le drap, et il s'astreignit brusquement à penser au coffre parce que ce n'était pas le moment de penser à ces choses-là.

Chloé s'habillait.

— Dis à Nicolas de faire des sandwiches, dit-elle, qu'on parte tout de suite... Je leur ai donné rendez-vous chez Isis.

Colin l'embrassa sur l'épaule, profitant d'une éclaircie, et courut prévenir Nicolas. Nicolas achevait de soigner la souris et lui fabriquait une petite paire de béquilles en bambou.

— Voilà, conclut-il. Marche avec ça jusqu'à ce soir et il n'y paraîtra plus.

— Qu'est-ce qu'elle a ? demanda Colin en lui caressant la tête.

— Elle a voulu nettoyer les carreaux du couloir, dit Nicolas. Elle y est arrivée, mais ça lui a fait mal.

— Ne te soucie pas de ça, dit Colin. Ça reviendra tout seul.

— Je ne sais pas, dit Nicolas. C'est bizarre. On dirait que les carreaux respirent mal.

— Ça reviendra, dit Colin... je pense, du moins... ça n'a jamais fait ça jusqu'à maintenant?

— Non, dit Nicolas.

Colin resta quelques instants devant la fenêtre de la cuisine.

— C'est peut-être l'usure normale, dit-il. On pourrait essayer de les faire changer...

— Ça coûtera très cher, dit Nicolas.

— Oui, dit Colin. Il vaut mieux attendre.

— Qu'est-ce que tu voulais? demanda Nicolas.

— Ne fais pas de cuisine, dit Colin. Seulement des sandwiches... on va partir tout de suite.

— Bon, je m'habille, dit Nicolas.

Il posa la souris par terre et elle se dirigea vers la porte, oscillant entre ses petites béquilles. Ses moustaches dépassaient des deux côtés.

XXX

La rue avait tout à fait changé d'aspect depuis le départ de Colin et de Chloé. Maintenant, les feuilles des arbres étaient grandes et les maisons quittaient leur teinte pâle pour se nuancer d'un vert effacé avant d'acquérir le beige doux de l'été. Le pavé devenait élastique et doux sous les pas et l'air sentait la framboise.

Il faisait encore frais, mais on devinait le beau temps derrière les fenêtres aux vitres bleuâtres. Des fleurs vertes et bleues poussaient le long des trottoirs, et la sève serpentait autour de leurs tiges minces avec un léger bruit humide, comme un baiser d'escargots.

Nicolas ouvrait la marche. Il était vêtu d'un complet sport de chaud lainage moutarde, et portait, en dessous, un chandail à col roulé dont le jacquard dessinait un saumon à la Chambord, tel qu'il apparaît à la page 607 du *Livre de Cuisine* de Gouffé. Ses souliers de cuir jaune à semelles crêpe froissaient à peine la végétation. Il prenait soin de marcher dans les deux sillons que l'on dégageait pour laisser passer les voitures.

Colin et Chloé le suivaient, Chloé tenait Colin par la main et respirait à longs traits les odeurs de l'air. Chloé avait une petite robe de laine blanche et un mantelet de léopard benzolé, dont les taches, atténuées par le traitement, s'élargissaient en auréoles, et se recoupaient en curieuses interférences. Ses cheveux mousseux flottaient librement et exhalaient une douce vapeur parfumée de jasmin et d'œillet.

Colin, les yeux mi-clos, se guidait sur ce parfum, et ses lèvres frémissaient doucement à chaque inhalation. Les façades des maisons s'abandonnaient un peu, quittant leur sévère rectitude, et l'aspect résultant de la rue déroutait parfois Nicolas qui devait s'arrêter pour lire les plaques émaillées.

— Qu'est-ce que nous allons faire d'abord? demanda Colin.

— Aller dans les magasins, dit Chloé. Je n'ai plus une seule robe.

— Tu ne veux pas aller chez les Sœurs Callotte, comme d'habitude? dit Colin.

— Non, dit Chloé, je veux aller dans les magasins, et m'acheter des robes toutes faites et des choses.

— Isis va sûrement être contente de te revoir, Nicolas, dit Colin.

— Pourquoi ça? demanda Nicolas.

— Je ne sais pas...

Ils tournèrent dans la rue Sidney Béchet et c'était là. La concierge, devant la porte, se balançait dans un rocking-chair mécanique dont le moteur faisait un bruit pétaradant sur un rythme de polka. C'était un vieux système.

Isis les accueillit. Chick et Alise étaient déjà là. Isis avait une robe rouge et sourit à Nicolas. Elle embrassa Chloé et ils s'entrebaisèrent tous pendant quelques instants.

— Tu as bonne mine, ma Chloé, dit Isis. Je croyais que tu étais malade. Ça me rassure.

— Je vais mieux, dit Chloé. Nicolas et Colin m'ont très bien soignée.

84

— Comment vont vos cousines? demanda Nicolas.

Isis rougit jusqu'aux yeux.

— Elles me demandent de vos nouvelles tous les deux jours, dit-elle.

— Ce sont de charmantes filles, dit Nicolas en se détournant légèrement, mais vous êtes plus ferme.

— Oui..., dit Isis.

— Et ce voyage? dit Chick.

— Ça s'est bien passé, dit Colin. La route était très mauvaise, au début, mais ça s'est arrangé.

— Sauf la neige, dit Chloé, c'était bien...

Elle porta la main à sa poitrine.

— Où va-t-on? demanda Alise.

— Je peux vous résumer la conférence de Partre, si vous voulez, dit Chick.

— Tu en as acheté beaucoup depuis notre départ? demanda Colin.

— Oh!... Non... dit Chick.

— Et ton travail? demanda Colin.

— Oh!... Ça va... dit Chick. J'ai un type pour me remplacer quand je suis forcé de sortir.

— Il fait ça pour rien? demanda Colin.

— Oh!... Presque, dit Chick! Vous voulez qu'on aille tout de suite à la patinoire?

— Non, on va dans les magasins, dit Chloé. Mais si les hommes veulent aller patiner...

— C'est une idée, dit Colin.

— Je les accompagnerai dans les magasins, dit Nicolas. Je dois faire quelques achats.

— C'est bien comme ça, dit Isis. Mais allons-y vite pour avoir le temps de patiner un peu après.

XXXI

Colin et Chick patinaient depuis une heure, et il commençait à y avoir du monde sur la glace. Toujours les mêmes filles, toujours les mêmes garçons, toujours les chutes et toujours les varlets-nettoyeurs avec la raclette. Le préposé venait de passer au pick-up une rengaine apprise par cœur depuis des semaines par tous les habitués. Il la remplaça par l'autre face, à laquelle tout le monde s'attendait, car ses manies finissaient par être connues, mais le disque s'arrêta soudain et une voix caverneuse se fit entendre dans tous les haut-parleurs sauf un, dissident, qui continua de jouer la musique. La voix priait M. Colin de bien vouloir passer au contrôle car on le demandait au téléphone.

— Qu'est-ce que ça peut être? dit Colin.

Il se hâta vers le bord, suivi de Chick, et prit pied sur les tapis de caoutchouc. Il longea le bar et pénétra dans la cabine de contrôle où était le microphone. L'homme des disques était en train d'en passer un à la brosse en chiendent pour enlever les aspérités nées de l'usure.

— Allô! dit Colin en prenant l'appareil.

Il écouta.

Chick le vit, étonné d'abord, devenir brusquement de la couleur de la glace.

— Est-ce grave? demanda-t-il.

Colin lui fit signe de se taire.

— J'arrive, dit-il dans le récepteur et il raccrocha.

Les parois de la cabine se resserraient et il sortit avant d'être broyé, suivi de près par Chick. Il courut sur ses patins. Ses pieds se tordaient dans tous les sens. Il appela un garçon.

— Ouvrez-moi vite ma cabine. Le 309.

— La mienne aussi, le 311... dit Chick.

Le garçon les suivit sans trop se presser. Colin se retourna, le vit à dix mètres et attendit qu'il parvînt à sa hauteur. Prenant son élan, sauvagement, il lui décocha un formidable coup de patin sous le menton et la tête du garçon alla se ficher sur une des cheminées d'aération de la machinerie, tandis que Colin s'emparait de la clé que le cadavre, l'air absent, tenait encore à la main. Colin ouvrit une cabine, y poussa le corps, cracha dessus et bondit vers le 309. Chick referma la porte.

— Qu'y a-t-il? demanda-t-il essoufflé en arrivant.

Colin avait déjà ôté ses patins et remis ses souliers.

— Chloé, dit Colin, elle est malade.

— Grave?

— Je ne sais pas, dit Colin. Elle a eu une syncope.

Il était prêt et filait.

— Où vas-tu? cria Chick.

— Chez moi!... cria Colin, et il disparut dans l'escalier de béton sonore.

A l'autre bout de la patinoire, les hommes de la machinerie sortirent, suffoqués, car l'aération ne fonctionnait plus et s'effondrèrent, épuisés, tout autour de la piste.

Chick, frappé de stupeur, un patin à la main, regardait vaguement l'endroit où Colin avait disparu.

Sous la porte de la cabine 128, une mince rigole de sang mousseux serpentait lentement, et la liqueur rouge se mit à couler sur la glace en grosses gouttes fumantes et lourdes.

XXXII

Il courait de toutes ses forces, et les gens, devant ses yeux, s'inclinaient lentement, pour tomber, comme des quilles, allongés sur le pavé, avec un clapotement mou, comme un grand carton qu'on lâche à plat.

Et Colin courait, courait, l'angle aigu de l'horizon, serré entre les maisons, se précipitait vers lui. Sous ses pas, il faisait nuit. Une nuit d'ouate noire, amorphe et inorganique, et le ciel était sans teinte, un plafond, un angle aigu de plus, il courait vers le sommet de la pyramide, arrêté au cœur par des sections de nuit moins noire, mais il y avait encore trois rues avant la sienne.

Chloé reposait, très claire, sur le beau lit de leurs noces. Elle avait les yeux ouverts mais respirait mal. Alise était avec elle. Isis aidait Nicolas qui préparait, d'après Gouffé, un reconstituant certain, et la souris broyait de ses dents aiguës des graines d'herbe à décoction pour le breuvage de chevet.

Mais Colin ne savait pas, il courait, il avait peur, pourquoi ça ne suffit pas de toujours rester ensemble, il faut encore qu'on ait peur, peut-être est-ce un accident, une auto l'a écrasée, elle serait sur son lit, je ne pourrais pas la voir, ils m'empêcheraient d'entrer, mais vous croyez donc peut-être que j'ai peur de ma Chloé, je la verrai malgré vous, mais non, Colin, n'entre pas. Elle est peut-être blessée, seulement, alors, il n'y aura rien du tout, demain, nous irons ensemble au Bois, pour revoir le banc, j'avais sa main dans la mienne et ses cheveux près des miens, son parfum sur l'oreiller. Je prends toujours son oreiller, nous nous battrons encore le soir, le mien, elle le trouve trop bourré, il reste tout rond sous sa tête, et moi je le reprends après, il sent l'odeur de ses cheveux. Jamais plus je ne sentirai la douce odeur de ses cheveux.

Le trottoir se dressa devant lui. Il le franchit d'un bond géant, il était au premier étage, il monta, il ouvrit la porte et tout était calme et tranquille, pas de gens en noir, pas de religieux, la paix des tapis aux dessins gris-bleus. Nicolas lui dit : « Ce n'est pas grand-chose », et Chloé sourit, elle était heureuse de le revoir.

XXXIII

La main de Chloé, tiède et confiante, était dans la main de Colin. Elle le regardait, ses yeux clairs un peu étonnés le tenaient en repos. En bas de la plate-forme, dans la chambre, il y avait des soucis qui s'amassaient, acharnés à s'étouffer les uns les autres. Chloé sentait une force opaque dans son corps, dans son thorax, une présence opposée, elle ne savait comment lutter, elle toussait de temps en temps pour déplacer l'adversaire accroché à sa chair profonde. Il lui paraissait qu'en respirant à fond elle se fût livrée vive à la rage ternie de l'ennemi, à sa malignité insidieuse. Sa poitrine se soulevait à peine et le contact des draps lisses sur ses jambes longues et nues mettait le calme dans ses mouvements. A ses côtés, Colin, le dos un peu courbé, la regardait. La nuit venait, se formait en couches concentriques autour du petit noyau lumineux de la lampe allumée au chevet du lit, prise dans le mur, enfermée par une plaque ronde de cristal dépoli.

— Mets-moi de la musique, mon Colin, dit Chloé. Mets des airs que tu aimes.

— Ça va te fatiguer, dit Colin.

Il parlait de très loin, il avait mauvaise mine. Son cœur tenait toute la place dans sa poitrine, il ne s'en rendait compte que maintenant.

— Non, je t'en prie, dit Chloé.

Colin se leva, descendit la petite échelle de chêne et chargea l'appareil automatique. Il y avait des haut-parleurs dans toutes les pièces. Il mit en marche celui de la chambre.

— Qu'as-tu mis? demanda Chloé.

Elle souriait. Elle le savait bien.

— Tu te rappelles? dit Colin.

— Je me rappelle...

— Tu n'as pas mal?

— Je n'ai pas très mal...

A l'endroit où les fleuves se jettent dans la mer il se forme une barre difficile à franchir et de grands remous écumeux où dansent les épaves. Entre la nuit du dehors et la lumière de la lampe, les souvenirs refluaient de l'obscurité, se heurtaient à la clarté et, tantôt immergés, tantôt apparents, montraient leurs ventres blancs et leurs dos argentés. Chloé se redressa un peu.

— Viens t'asseoir près de moi...

Colin se rapprocha d'elle, il s'installa en travers du lit et la tête de Chloé reposait au creux de son bras gauche. La dentelle de sa chemise légère dessinait sur sa peau dorée un réseau capricieux, tendrement gonflé par la naissance des seins. La main de Chloé s'accrochait à l'épaule de Colin.

— Tu n'es pas fâché?...

— Pourquoi fâché?

— D'avoir une femme si bête...

Il embrassa le creux de l'épaule confiante.

— Tire un peu ton bras, ma Chloé. Tu vas prendre froid.

— Je n'ai pas froid, dit Chloé. Écoute le disque.

Il y avait quelque chose d'éthéré dans le jeu de Johnny

Hodges, quelque chose d'inexplicable et de parfaitement sensuel. La sensualité à l'état pur, dégagée du corps.

Les coins de la chambre se modifiaient et s'arrondissaient sous l'effet de la musique. Colin et Chloé reposaient maintenant au centre d'une sphère.

— Qu'est-ce que c'était? demanda Chloé.

— C'était *The Mood to be Wooed*, dit Colin,

— C'est ce que je sentais, dit Chloé. Comment le docteur va-t-il pouvoir entrer dans notre chambre avec la forme qu'elle a?

XXXIV

Nicolas alla ouvrir. Il y avait sur le seuil un docteur.

— Je suis le docteur, dit-il.

— Bon, dit Nicolas. Si vous voulez vous donner la peine de me suivre...

Il l'entraîna derrière lui.

— Voilà, expliqua-t-il, quand ils furent arrivés à la cuisine. Goûtez ça et dites-moi ce que vous en pensez.

C'était, dans un réceptacle silico-sodo-calcique vitrifié, un breuvage de couleur particulière, tirant sur le pourpre de Cassius et le vert de vessie avec un léger écart vers le bleu de chrome.

— Qu'est-ce que c'est? demanda le docteur.

— Un breuvage... dit Nicolas.

— Je sais bien... mais, dit le docteur, à quoi destiné?

— Un reconstituant, dit Nicolas.

Le docteur porta le verre à son nez, flaira, s'alluma, huma et goûta, puis but et se tint le ventre à deux mains en lâchant sa trousse à doctoriser.

— Ça agit? hein? dit Nicolas.

— Bouh!... Oui, dit le docteur. Il y a de quoi crever... Vous êtes vétérinaire?

— Non, dit Nicolas, cuisinier. Enfin, ça agit, en somme.

— Pas mal, dit le docteur. Je me sens ragaillardi...

— Venez voir la malade, dit Nicolas. Maintenant vous êtes désinfecté.

Le docteur se mit en route, mais dans le mauvais sens. Il paraissait assez peu maître de ses mouvements.

— Eh! dit Nicolas, dites donc!... Vous êtes en mesure de faire votre examen, oui?

— Ben, dit le docteur, j'aimerais avoir l'avis d'un confrère, alors j'ai demandé à Mangemanche de venir...

— Bon, dit Nicolas. Alors, venez par ici.

Il ouvrit la porte de l'escalier de service.

— Vous descendez les trois étages et vous tournez à droite. Vous entrez et vous y êtes...

— Bien, dit le docteur...

Il commença à descendre et s'arrêta soudain.

— Mais, où suis-je?

— Là..., dit Nicolas.

— Ah! Bien!... dit le docteur.

Nicolas referma la porte. Colin arrivait.

— Qu'est-ce que c'était? demanda-t-il.

— Un docteur. Il avait l'air idiot, alors je m'en suis débarrassé.

— Mais il en faut un, dit Colin.

— Bien sûr, dit Nicolas. Mangemanche doit venir.

— J'aime mieux ça, dit Colin.

Une sonnette tinta de nouveau.

— Ne bouge pas, dit Colin, j'y vais.

Dans le couloir, la souris grimpa le long de sa jambe et vint se percher sur son épaule droite. Il se pressa et ouvrit au professeur.

— Bonjour! dit ce dernier.

Il était vêtu de noir et portait une chemise d'un jaune éclatant.

— Physiologiquement, déclara-t-il, le noir sur fond jaune correspond au contraste maximum. J'ajoute que ce n'est pas fatigant pour la vue et que ça évite d'être écrasé dans la rue.

— Certainement, approuva Colin.

Le professeur Mangemanche pouvait avoir quarante

ans. Il était de taille à les supporter. Mais pas un de plus.
Il avait le visage glabre avec une petite barbe en pointe,
des lunettes inexpressives.

— Voulez-vous me suivre? proposa Colin.

— Je ne sais pas, dit le professeur, j'hésite...

Il se décida tout de même.

— Qui est malade?

— Chloé, dit Colin.

— Ah! dit le professeur, ça me rappelle un air...

— Oui, dit Colin, c'est celui-là.

— Bon, conclut Mangemanche, allons-y. Vous auriez
dû me le dire plus tôt. Qu'est-ce qu'elle a?

— Je ne sais pas, dit Colin.

— Moi non plus, avoua le professeur, maintenant, je
peux bien vous le dire.

— Mais vous allez le savoir? demanda Colin inquiet.

— Ça se peut, dit le professeur Mangemanche, dubita-
tif. Encore faudrait-il que je l'examinasse...

— Mais venez donc..., dit Colin.

— Mais oui..., dit le professeur.

Colin le conduisit jusqu'à la porte de la chambre et se
rappela brusquement quelque chose.

— Faites attention en entrant, dit-il, c'est rond.

— Oui, j'ai l'habitude, dit Mangemanche, elle est
enceinte?...

— Mais non, dit Colin... vous êtes idiot... la chambre
est ronde.

— Toute ronde? demanda le professeur. Vous avez
joué un disque d'Ellington, alors?

— Oui, dit Colin.

— J'en ai aussi chez moi, dit Mangemanche. Vous
connaissez *Slap Happy*?

— Je préfère... commença Colin, et il se rappela Chloé
qui attendait, et poussa le professeur dans la chambre.

— Bonjour, dit le professeur.

Il monta l'échelle.

— Bonjour, répondit Chloé. Vous allez bien?

— Mon Dieu, répondit le professeur, mon foie me fait
souffrir par moments. Vous savez ce que c'est?

— Non, dit Chloé.

— Bien entendu, répondit le professeur, vous n'avez certainement pas le foie malade.

Il s'approcha de Chloé et lui prit la main.

— Un peu chaud, hein?...

— Je ne me rends pas compte.

— Oui, dit le professeur, mais c'est un tort.

Il s'assit sur le lit.

— Je vais vous ausculter, si ça ne vous ennuie pas.

— Je vous en prie, dit Chloé.

Le professeur sortit de sa trousse un stéthoscope à amplificateur et appliqua la capsule sur le dos de Chloé.

— Comptez, dit-il.

Chloé compta.

— Ça ne va pas, dit le docteur, après vingt-six, c'est vingt-sept.

— Oui, dit Chloé, excusez-moi.

— Ça suffit, d'ailleurs, dit le docteur. Vous toussez?

— Oui, dit Chloé, et elle toussa.

— Qu'est-ce qu'elle a, docteur? demanda Colin, c'est grave?

— Heu!... dit le professeur, elle a quelque chose au poumon droit. Mais je ne sais pas ce que c'est...

— Alors? demanda Colin.

— Il faudrait qu'elle vienne chez moi pour un examen plus perfectionné, dit le professeur.

— Je n'aime pas beaucoup qu'elle se lève, docteur, dit Colin. Si elle se trouve mal, comme cet après-midi?

— Non, dit le professeur, ce n'est pas grave, ça. Je vais vous donner une ordonnance, mais il faudra la suivre.

— Bien sûr, docteur, dit Chloé.

Elle porta la main à sa bouche et se mit à tousser.

— Ne toussez pas, dit Mangemanche.

— Ne tousse pas, mon chéri, dit Colin.

— Je ne peux pas m'empêcher, dit Chloé d'une voix entrecoupée.

— On entend une drôle de musique dans son poumon, dit le professeur.

Il avait l'air un peu ennuyé.

— Est-ce que c'est normal, docteur? demanda Colin.

— Jusqu'à un certain point... répondit le professeur.

Il tira sa petite barbe et elle revint à sa place avec un claquement sec.

— Quand devons-nous aller vous voir, docteur? demanda Colin.

— Dans trois jours, dit le professeur. Il faut que je remette mes appareils en état.

— Vous ne vous en servez pas, d'habitude? demanda Chloé à son tour.

— Non, dit le professeur. Je préfère de beaucoup construire des modèles réduits d'avions, mais on vient tout le temps me relancer, alors je suis sur le même depuis un an et je ne peux pas trouver le temps de le terminer. C'est exaspérant, à la fin!...

— Sans doute, dit Colin.

— Ce sont des requins, dit le professeur. Je me compare avec complaisance, au malheureux naufragé dont les monstres voraces guettent la somnolence pour retourner le fragile esquif.

— C'est une belle image, dit Chloé, et elle rit, doucement, pour ne pas tousser de nouveau.

— Attention, mon petit, dit le professeur en lui mettant la main sur l'épaule. C'est une image complètement stupide, vu que, d'après le *Génie Civil* du 15 octobre 1944, contrairement à l'opinion courante, il n'y a que trois ou quatre des trente-cinq espèces de requins connues qui soient des mangeurs d'hommes! Encore s'attaquent-ils moins à lui qu'il ne s'attaque à eux...

— Vous parlez bien, docteur, dit Chloé admirative.

Elle aimait bien ce docteur.

— C'est le *Génie Civil,* dit le docteur. Ce n'est pas moi. Sur ce, je vous quitte.

Il donna à Chloé un gros baiser sur la joue droite et lui tapota l'épaule, et descendit la petite échelle. Il se prit le pied droit dans le pied gauche et le pied gauche dans le dernier barreau, et chuta.

— Votre installation est spéciale, fit-il remarquer à Colin en se frottant le dos vigoureusement.

— Excusez-moi, dit Colin.

— Et puis, ajouta le professeur, cette pièce sphérique a quelque chose de déprimant. Essayez de passer *Slap Happy*, ça la fera probablement revenir en place, ou, alors, rabotez-la.

— C'est entendu, dit Colin. Accepteriez-vous un petit apéritif?

— Va pour, dit le professeur. Au revoir, mon petit, cria-t-il à Chloé, avant de quitter la chambre.

Chloé riait toujours. D'en bas, on la voyait assise sur le grand lit surbaissé, comme sur une estrade d'apparat, éclairée de côté par l'ampoule électrique. Les rais de lumière filtraient à travers ses cheveux, avec la couleur du soleil dans les herbes neuves, et la lumière qui avait passé contre sa peau se posait toute dorée sur les choses.

— Vous avez une jolie femme, dit le professeur à Colin dans l'antichambre.

— Oui, dit Colin.

Il se mit à pleurer tout à coup, car il savait que Chloé avait mal.

— Allons, dit le professeur, vous me mettez dans une situation embarrassante... Il va falloir que je vous console... Tenez...

Il fouillait dans une poche intérieure de sa veste et en retira un petit carnet relié de cuir rouge.

— Regardez, c'est la mienne.

— La vôtre? demanda Colin qui s'efforçait de redevenir calme.

— Ma femme, expliqua le professeur.

Et Colin ouvrit le carnet, machinalement, et éclata de rire.

— Ça y est, dit le professeur. Ça ne rate jamais. Ils rigolent tous. Mais, enfin... qu'est-ce qu'elle a donc de si marrant?

— Je... je ne... sais pas, balbutia Colin, et il s'écroula, en proie à une crise de gondolance extrême.

Le professeur récupéra son carnet.

— Vous êtes tous les mêmes, dit-il, vous croyez que les femmes ont besoin d'être jolies... Alors, cet apéritif, ça vient?

XXXV

Colin, suivi de Chick, poussa la porte du marchand de remèdes. Cela fit « Ding!... » et la glace de la porte s'effondra sur un système compliqué de fioles et d'appareils de laboratoire.

Alerté par le bruit, le marchand apparut. Il était grand, vieux et maigre, et son chef s'empanachait d'une crinière blanche hérissée.

Il se précipita à son comptoir, saisit le téléphone et composa un numéro avec la rapidité résultant d'une longue habitude.

— Allô! dit-il.

Sa voix avait le son d'une corne de brume et le sol, sous ses pieds longs, noirs et plats, s'inclinait régulièrement d'avant en arrière, tandis que des paquets d'embruns s'abattaient sur le comptoir.

— Allô! La maison Gershwin? Voudriez-vous remettre une glace à ma porte d'entrée?!! Dans un quart d'heure?... Faites vite, car il peut venir un autre client... Bon...

Il reposa le récepteur qui se raccrocha avec effort.

— Messieurs, que puis-je pour vous?

— Exécuter cette ordonnance... suggéra Colin.

Le pharmacien saisit le papier, le plia en deux, en fit une bande longue et serrée et l'introduisit dans une petite guillotine de bureau.

— Voilà qui est fait, dit-il en pressant un bouton rouge.

Le couperet s'abattit et l'ordonnance se détendit et s'affaissa.

— Repassez ce soir à six heures de relevée, vos remèdes seront prêts.

— C'est, dit Colin, que nous sommes assez pressés...

— Nous, ajouta Chick, voudrions les avoir tout de suite.

— Si, répondit le marchand, vous voulez alors attendre, je vais préparer ce qu'il faut.

Colin et Chick s'assirent sur une banquette de velours pourpre, juste en face du comptoir et attendirent. Le marchand se baissa derrière son comptoir et quitta la pièce par une porte dérobée, en rampant presque silencieusement. Le frottis de son corps long et maigre sur le parquet s'atténua, puis s'évanouit dans l'air.

Ils regardaient les murs. Sur de longues étagères de cuivre patiné s'alignaient des bocaux renfermant des espèces simples et des topiques souverains. Une fluorescence compacte émanait du dernier bocal de chaque rangée. Dans un récipient conique de verre épais et corrodé, des têtards enflés tournaient en spirale descendante et atteignaient le fond, puis repartaient en flèche vers la surface et reprenaient leur giration excentrée, laissant derrière eux un sillage blanchâtre d'eau épaissie. A côté, au fond d'un aquarium de plusieurs mètres de long, le marchand avait établi un banc d'essai de grenouilles à tuyères, et çà et là, gisaient quelques grenouilles inutilisables dont les quatre cœurs battaient encore faiblement.

Derrière Chick et Colin, s'étendait une vaste fresque représentant le marchand de remèdes en train de forniquer avec sa mère, dans le costume de César Borgia aux courses. Il y avait, sur des tables, une multitude de machines à faire les pilules et certaines fonctionnaient, bien qu'au ralenti.

Les pilules, sortant d'une tubulure de verre bleu, étaient recueillies dans des mains de cire qui les mettaient en cornets de papier plissé.

Colin se leva pour regarder de plus près la machine la plus proche et souleva le carter rouillé qui la protégeait. A l'intérieur, un animal composite, mi-chair, mi-métal, s'épuisait à avaler la matière de base et à l'expulser sous la forme de boulettes régulières.

— Viens voir, Chick, dit Colin.

— Quoi? demanda Chick.

— C'est très curieux!... dit Colin.

Chick regarda. La bête avait une mâchoire allongée qui se déplaçait par rapides mouvements latéraux. Sous une peau transparente, on distinguait des côtes tubulaires d'acier mince et un conduit digestif qui s'agitait paresseusement.

— C'est un lapin modifié, dit Chick.

— Tu crois?

— Ça se fait couramment, dit Chick. On conserve la fonction qu'on veut. Là, il a gardé les mouvements du tube digestif, sans la partie chimique de la digestion. C'est bien plus simple que de faire des pilules avec un pisteur normal.

— Qu'est-ce que ça mange? demanda Colin.

— Des carottes chromées, dit Chick. On en fabriquait à l'usine où je travaillais en sortant de la boîte. Et puis, on lui donne les éléments des pilules...

— C'est très bien inventé, dit Colin, et ça fait de très jolies pilules.

— Oui, dit Chick. C'est bien rond.

— Dis donc, dit Colin en retournant s'asseoir...

— Quoi? demanda Chick.

— Combien est-ce qu'il te reste des vingt-cinq mille doublezons que je t'avais donnés avant de partir en voyage?

— Euh!... répondit Chick.

— Il serait temps que tu te décides à épouser Alise. C'est tellement vexant pour elle de continuer comme tu continues!!!

— Oui... répondit Chick.

— Enfin, il te reste bien vingt mille doublezons? Tout de même... C'est suffisant pour te marier...

— C'est que... dit Chick.

Il s'arrêta, car c'était dur à sortir.

— C'est que quoi? insista Colin. Tu n'es pas le seul à avoir des ennuis d'argent...

— Je sais bien, dit Chick.

— Mais alors? dit Colin.

— Alors, dit Chick, il ne me reste que trois mille deux cents doublezons...

Colin se sentait très fatigué. Des choses pointues et ternes tournaient dans sa tête avec une rumeur vague de marée. Il se raidit sur la banquette.

— Ce n'est pas vrai... dit-il.

Il était las, las comme si on venait de lui faire courir un grand steeple avec la cravache.

— Ce n'est pas vrai... répéta-t-il... tu me fais une blague.

— Non... dit Chick.

Chick était debout. Il grattait, du bout du doigt, le coin de la table la plus proche. Les pilules roulaient dans les tubulures de verre avec un petit bruit de billes et le froissement du papier par les mains de cire créait une atmosphère de restaurant magdalénien.

— Mais, qu'est-ce que tu en as fait? demanda Colin.

— J'ai acheté du Partre, dit Chick.

Il fouilla dans sa poche.

— Regarde celui-là. Je l'ai trouvé hier. Ce n'est pas une merveille?

C'était *Renvoi de Fleurs* en maroquin perlé, avec des hors-texte de Kierkegaard.

Colin prit le livre et le regarda, mais il ne voyait pas les pages. Il voyait les yeux d'Alise, à son mariage, et le regard d'émerveillement triste qu'elle jetait sur la robe de Chloé. Mais Chick ne pouvait pas comprendre. Les yeux de Chick n'allaient jamais si haut.

— Qu'est-ce que tu veux que je te dise... murmura Colin. Alors, tu as tout dépensé?...

— J'ai eu deux de ses manuscrits, la semaine dernière, dit Chick et sa voix vibrait d'excitation contenue. Et j'ai déjà enregistré sept de ses conférences...

— Oui... dit Colin.

— Pourquoi me demandes-tu ça? dit Chick. Ça lui est égal, à Alise, que je l'épouse. Elle est heureuse comme ça. Je l'aime beaucoup, tu sais, et puis elle aime énormément Partre aussi!

Une des machines paraissait s'emballer. Les pilules sortaient en cataracte et des éclairs violets jaillissaient au moment où elles tombaient dans les cornets de papier.

— Qu'est-ce qui se passe? dit Colin. Est-ce que c'est dangereux?

— Je ne pense pas, dit Chick. De toute façon, ne restons pas à côté.

Ils entendirent, assez loin, une porte se fermer, et le marchand de remèdes surgit soudain derrière le comptoir.

— Je vous ai fait attendre, dit-il.

— Ça n'a pas d'importance, assura Colin.

— Si... dit le marchand. C'était exprès. C'est pour mon standing.

— Une de vos machines a l'air de s'emballer... dit Colin en désignant l'engin en question.

— Ah!... dit le marchand de remèdes.

Il se pencha, prit sous son comptoir une carabine, épaula tranquillement et tira. La machine cabriola en l'air et retomba pantelante.

— Ce n'est rien, dit le marchand. De temps en temps le lapin l'emporte sur l'acier et il faut les supprimer.

Il souleva sa machine, appuya sur le carter inférieur pour la faire pisser et la pendit à un clou.

— Voici vos remèdes, dit-il en tirant une boîte de sa poche. Faites attention, c'est très actif. Ne dépassez pas la dose.

— Ah! dit Colin. Et, d'après vous, c'est contre quoi?

— Je ne peux pas dire... répondit le marchand.

Il passa dans sa tignasse blanche une longue main aux ongles ondulés.

— Ça peut être pour beaucoup de choses... conclut-il. Mais une plante ordinaire ne résisterait pas longtemps à ça.

— Ah! dit Colin. Combien vous dois-je?

— C'est très cher, dit le marchand. Vous devriez m'assommer et partir sans payer...

— Oh! dit Colin, je suis trop fatigué...

— Alors, c'est deux doublezons, dit le marchand. Colin tira son portefeuille.

— Vous savez, dit le marchand, c'est vraiment du vol.

— Ça m'est égal... dit Colin d'une voix morte.

Il paya et s'en alla. Chick le suivait.

— Vous êtes stupide, dit le marchand de remèdes en les raccompagnant à la porte. Je suis vieux et pas résistant.

— J'ai pas le temps, murmura Colin.

— Ce n'est pas vrai, dit le marchand. Vous n'auriez pas attendu si longtemps...

Maintenant, j'ai les remèdes, dit Colin. Au revoir, monsieur.

Il marchait de biais à travers la rue, en attaque oblique, pour ménager ses forces.

— Tu sais, dit Chick, je ne vais pas me séparer d'Alise parce que je ne l'épouse pas...

— Oh! dit Colin. Je ne peux rien dire... Ça te regarde, après tout...

— C'est la vie, dit Chick.

— Non, dit Colin.

XXXVI

Le vent se frayait un chemin parmi les feuilles et ressortait des arbres tout chargé d'odeurs de bourgeons et de fleurs. Les gens marchaient un peu plus haut et respiraient plus fort car il y avait de l'air en abondance. Le soleil dépliait lentement ses rayons et les hasardait, avec précaution, dans des endroits qu'il ne pouvait atteindre directement, les recourbant à angles arrondis et onctueux, mais se heurtait à des choses très noires et les retirait très vite, d'un mouvement nerveux et précis de poulpe doré. Son immense carcasse brûlante se rapprocha peu à peu, puis se mit, immobile, à vaporiser les eaux continentales et les horloges sonnèrent trois coups.

Colin lisait une histoire à Chloé. C'était une histoire d'amour et ça finissait bien. En ce moment, l'héros et l'héroïne s'écrivaient des lettres.

— Pourquoi c'est si long? dit Chloé. Ça va bien plus vite d'habitude...

— Tu as l'habitude de ces choses-là, toi? demanda Colin.

Il pinça vigoureusement l'extrémité d'un rayon de soleil qui allait atteindre l'œil de Chloé. Cela se rétracta mollement, et se mit à se promener sur des meubles dans la pièce.

Chloé rougit.

— Non, je n'ai pas l'habitude... dit-elle timidement, mais il me semble...

Colin ferma le livre.

— Tu as raison, ma Chloé.

Il se leva et s'approcha du lit.

— C'est l'heure de prendre une de tes pilules.

Chloé frissonna.

— C'est très désagréable, dit-elle. Est-ce que je suis forcée?

— Je crois, dit Colin. C'est ce soir que tu viens voir le docteur chez lui, on saura enfin ce que tu as. Pour l'instant, il faut prendre tes pilules. Après, il te donnera peut-être autre chose...

— C'est horrible, dit Chloé.

— Il faut être raisonnable.

— C'est comme si deux bêtes se battaient dans ma poitrine, quand j'en prends une. Et puis, ce n'est pas vrai... il ne faut pas être raisonnable...

— Il vaut mieux pas, mais, quelquefois, il faut, dit Colin.

Il ouvrit la petite boîte.

— Elles ont une sale couleur, dit Chloé, et elles sentent mauvais.

— Elles sont bizarres, je le reconnais, dit Colin, mais il faut les prendre.

— Regarde, dit Chloé. Elles remuent toutes seules, et puis, elles sont à moitié transparentes et ça vit sûrement à l'intérieur.

— Sûrement, dans l'eau que tu bois après, dit Colin, ça ne vit pas longtemps.

— C'est idiot, ce que tu dis... c'est peut-être un poisson...

Colin se mit à rire.

— Alors, ça te fortifiera.

Il se pencha vers elle et l'embrassa.

— Prends-la, ma Chloé, tu seras si gentille!

— Je veux bien, dit Chloé, mais alors tu m'embrasseras!

— Sûr, dit Colin. Tu n'es pas dégoûtée d'embrasser un vilain mari comme moi...

— C'est vrai que tu n'es pas beau, dit Chloé taquine.

— C'est pas ma faute.

Colin baissa le nez.

— Je dors pas assez, continua-t-il.

— Mon Colin, embrasse-moi, je suis très vilaine. Donne-moi deux pilules.

— Tu es folle, dit Colin. Une seule. Allez, avale...

Chloé ferma les yeux, elle pâlit et porta la main à sa poitrine.

— Ça y est, dit-elle avec effort. Ça va recommencer...

Des gouttelettes de sueur apparaissaient près de ses cheveux brillants.

Colin s'assit à côté d'elle et mit un bras autour de son cou. Elle saisit sa main entre les siennes et gémit.

— Calme, ma Chloé, dit Colin, il faut.

— J'ai mal... murmura Chloé.

Des larmes grosses comme des yeux parurent au coin de ses paupières et tracèrent des sillons froids sur ses joues rondes et douces.

XXXVII

— Je ne peux plus tenir debout... murmura Chloé.

Elle avait les deux pieds par terre et tentait de se lever.

— Ça ne va pas du tout, dit-elle... je suis toute flasque.

Colin s'approcha d'elle et la souleva. Elle s'accrocha à ses épaules.

— Tiens-moi, Colin. Je vais tomber!

— C'est le lit qui t'a fatiguée... dit Colin.

— Non, dit Chloé. C'est les pilules de ton vieux marchand.

Elle essaya de se tenir debout toute seule et chancela. Colin la rattrapa et elle l'entraîna dans sa chute sur le lit.

— Je suis bien comme ça, dit Chloé. Reste contre moi. Cela fait si longtemps que nous n'avons pas couché ensemble!

— Il ne faut pas, dit Colin.

— Si, il faut. Embrasse-moi. Je suis ta femme, oui ou non?

— Oui, dit Colin, mais tu ne vas pas bien.

— C'est pas ma faute, dit Chloé et sa bouche frémit un peu, comme si elle allait pleurer.

Colin se pencha vers elle et l'embrassa très doucement, comme il eût embrassé une fleur.

— Encore, dit Chloé. Et pas seulement ma figure... Tu ne m'aimes plus alors? Tu ne veux plus de femme?

Il la serra plus fort dans ses bras. Elle était tiède et odorante. Un flacon de parfum, sortant d'une boîte capitonnée de blanc.

— Oui, dit Chloé en s'étirant... encore...

XXXVIII

— Nous serons en retard, affirma Colin.

— Ça ne fait rien, dit Chloé, règle ta montre.

— Tu ne veux vraiment pas qu'on y aille en voiture?...

— Non... dit Chloé. Je veux me promener avec toi dans la rue.

— Mais il y a un bout de chemin!

— Ça ne fait rien, dit Chloé... Quand tu m'as... embrassée, tout à l'heure, ça m'a remise d'aplomb. J'ai envie de marcher un peu.

— Je vais dire à Nicolas de venir nous rechercher en voiture, alors? suggéra Colin.

— Oh! si tu veux...

Elle avait mis pour se rendre chez le docteur, une petite robe bleu tendre, décolletée très bas en pointe et portait un mantelet de lynx, accompagné d'une toque assortie. Des chaussures de serpent teint complétaient l'ensemble.

— Viens, chatte, dit Colin.

— Ce n'est pas du chat, affirma Chloé. C'est du lynx.

— C'est trop dur à prononcer, dit Colin.

Ils sortirent de la chambre et passèrent dans l'entrée. Devant la fenêtre, Chloé s'arrêta.

— Qu'est-ce qu'il y a, ici? Il fait moins jour que d'habitude...

— Sûrement pas, dit Colin. Il y a beaucoup de soleil.

— Si, dit Chloé, je me rappelle bien, le soleil venait jusqu'à ce dessin-là du tapis, et, maintenant, il vient seulement là...

— Ça dépend de l'heure, dit Colin.

— Mais non, ça ne dépend pas de l'heure, puisque c'était à la même heure!...

— On regardera demain à la même heure, dit Colin.

— Tu vois bien, il venait jusqu'au septième trait. Là, il est au cinquième.

— Viens, dit Colin. Nous sommes en retard.

Chloé se fit un sourire en passant devant la grande glace du couloir dallé. Ce qu'elle avait ne pouvait pas être grave, et, dorénavant, ils iraient souvent se promener ensemble. Il ménagerait ses doublezons, il lui en restait suffisamment pour leur faire une vie agréable. Peut-être qu'il travaillerait...

L'acier du pêne cliqueta et la porte se referma. Chloé se tenait à son bras. Elle allait à petits pas légers. Colin en faisait un pour deux des siens.

— Je suis contente, dit Chloé. Il y a du soleil et ça sent bon les arbres.

— Sûr! dit Colin. C'est le printemps!

— Oui? dit Chloé, en lui faisant un œil malicieux.

Ils tournèrent à droite. Il y avait encore deux bâtisses à longer avant d'entrer dans le quartier médical. Cent mètres plus loin, ils commencèrent à sentir l'odeur des anesthésiques, qui, les jours de vent, parvenait plus loin encore. La structure du trottoir changeait. C'était, maintenant un canal large et plat, recouvert de grilles de béton à barreaux étroits et serrés. Sous les barreaux, coulait de l'alcool mélangé d'éther qui charriait des tampons de coton souillé d'humeurs et de sanies, de sang quelquefois. De longs filaments de sang à demi coagulé teignaient çà et là le flux volatil et des lambeaux de chair, à demi décomposée, passaient lentement, tournant sur eux-mêmes, comme des icebergs trop fondus. On ne sentait rien que l'odeur de l'éther. Des bandes de gaze et des pansements descendaient aussi le courant, déroulant leurs anneaux endormis. Au droit de chaque maison, un tube de descente se déversait dans le canal et l'on pouvait déterminer la spécialisation du médecin en observant, quelques instants, l'orifice de ces tubes. Un œil roula sur lui-même, les regarda quelques instants, et disparut sous une large nappe de coton rougeâtre et molle comme une méduse malsaine.

— Je n'aime pas ça, dit Chloé. Comme air, c'est très sain, mais ce n'est pas agréable à regarder...

— Non, dit Colin.

— Viens au milieu de la rue.

— Oui, dit Colin. Mais on va se faire écraser.

— J'ai eu tort de refuser la voiture, dit Chloé. Je n'ai plus de jambes.

— Tu as de la chance qu'il habite assez loin du quartier de la grosse chirurgie...

— Tais-toi! dit Chloé. On y est bientôt?

Elle se mit soudain à tousser de nouveau et Colin blêmit.

— Ne tousse pas, Chloé!... supplia-t-il.

— Non, mon Colin... dit-elle en se retenant avec effort.

— Ne tousse pas... on est arrivés... c'est là.

L'enseigne du professeur Mangemanche représentait une immense mâchoire en train d'engloutir une pelle de terrassier dont seul le fer dépassait. Cela fit rire Chloé. Tout doucement, très bas, car elle avait peur de tousser encore. Il y avait, le long des murs, des photographies en couleurs des cures miraculeuses du professeur, éclairées par des lumières, qui, pour l'instant, ne fonctionnaient pas.

— Tu vois, dit Colin. C'est un grand spécialiste. Les autres maisons n'ont pas une si complète décoration.

— Ça prouve seulement qu'il a beaucoup d'argent, dit Chloé.

— Ou que c'est un homme de goût, dit Colin. C'est très artistique.

— Oui, dit Chloé. Ça rappelle une boucherie modèle.

106

Ils entrèrent et se trouvèrent dans un grand vestibule rond émaillé de blanc. Une infirmière se dirigea vers eux.

— Vous avez rendez-vous ? demanda-t-elle.

— Oui, dit Colin. Nous sommes peut-être un peu en retard...

— Ça n'a pas d'importance, assura l'infirmière. Le professeur a fini d'opérer aujourd'hui. Voulez-vous me suivre ?

Ils obéirent et leurs pas résonnaient sur l'émail du sol avec un son mat et haut. Une série de portes s'ouvraient dans la paroi circulaire, et l'infirmière les conduisit à celle qui portait, en or embouti, la reproduction à l'échelle de l'enseigne géante du dehors. Elle ouvrit la porte et s'effaça devant eux pour les laisser entrer. Ils poussèrent une seconde porte transparente et massive et se trouvèrent dans le bureau du professeur. Ce dernier, debout devant la fenêtre, parfumait sa barbiche avec une brosse à dents, trempée dans l'extrait d'opoponax.

Il se retourna au bruit et s'avança vers Chloé, la main tendue.

— Alors, comment vous sentez-vous, aujourd'hui ?

— Ces pilules étaient terribles, dit Chloé.

La figure du professeur s'assombrit. Il avait maintenant, l'air d'un octavon.

— Ennuyeux... murmura-t-il. Je pensais bien.

Il resta une minute sur place, l'air songeur, puis s'avisa qu'il tenait toujours sa brosse à dents.

— Tenez ça, dit-il à Colin en la lui fourrant dans la main. Asseyez-vous, mon petit, dit-il à Chloé.

Il fit le tour de son bureau et s'assit lui-même.

— Voyez-vous, lui dit-il, vous avez quelque chose au poumon. Quelque chose dans le poumon, plus exactement. J'espérais que ce serait...

Il s'interrompit et se leva d'un coup.

— A rien ne sert de bavarder, dit-il. Venez avec moi. Posez cette brosse où vous voudrez, ajouta-t-il à l'adresse de Colin qui ne savait vraiment quoi en faire.

Colin voulut suivre Chloé et le professeur, mais il dut écarter une sorte de voile invisible et consistant qui venait de se poser entre eux. Son cœur éprouvait une angoisse étrange et battait irrégulièrement. Il fit un effort, se ressaisit et serra les poings. Rassemblant toutes ses forces, il réussit à avancer de quelques pas, et, dès qu'il toucha la main de Chloé, cela disparut.

Elle donnait la main au professeur et celui-ci la conduisit dans une petite salle blanche au plafond chromé, dont un appareil lisse et trapu occupait un côté entier.

— Je préfère que vous soyez assise, dit le professeur. Cela ne va pas durer longtemps.

Il y avait, en face de la machine, un écran d'argent rouge, encadré de cristal, et un seul bouton de réglage, en émail noir, scintillait sur le socle.

— Vous restez? demanda le professeur à Colin.

— J'aime mieux, dit Colin.

Le professeur tourna le bouton. La lumière s'enfuit de la pièce en un torrent clair qui disparut sous la porte et dans un trou d'aération disposé au-dessus de la machine et l'écran s'éclaira peu à peu.

XXXIX

Le professeur Mangemanche tapotait le dos de Colin.

— Ne vous en faites pas, mon vieux, lui dit-il. Ça peut s'arranger.

Colin regardait à terre, l'air écrasé. Chloé lui tenait le bras. Elle faisait de gros efforts pour paraître gaie.

— Mais oui, dit-elle, il n'y en a pas pour longtemps...

— Certainement, murmura Colin.

— Enfin, ajouta le professeur, si elle suit mon traitement, elle ira probablement mieux.

— Probablement, dit Colin.

Ils étaient dans le vestibule rond et blanc et la voix de Colin résonnait contre le plafond comme si elle venait de très loin.

— En tout état de cause, conclut le professeur, je vous enverrai ma note.

108

— Bien entendu, dit Colin. Je vous remercie de vos soins, docteur...

— Et si ça ne tourne pas mieux, dit le professeur, vous viendrez me voir. Il y a la solution de l'opération que nous n'avons pas même envisagée...

— Mais oui, dit Chloé en serrant le bras de Colin et, cette fois, elle se mit à sangloter.

Le professeur tirait sa barbiche à pleines mains.

— C'est très embêtant, dit-il.

Il y eut un silence. Une infirmière parut à travers la porte transparente et tapa deux petits coups. Un voyant vert « Entrez » s'alluma devant elle, dans l'épaisseur de la porte.

— C'est un monsieur, qui m'a dit de prévenir Monsieur et Madame que Nicolas était là.

— Merci, Carogne, répondit le professeur. Disposez, ajouta-t-il, et l'infirmière s'en fut.

— Eh bien! murmura Colin, nous allons vous dire au revoir, docteur...

— Certainement... dit le professeur. Au revoir... Soignez-vous... tâchez de partir...

XL

— Ça ne va pas? dit Nicolas sans se retourner avant que la voiture démarre.

Chloé pleurait toujours dans la fourrure blanche et Colin avait l'air d'un homme mort. L'odeur des trottoirs montait de plus en plus. Les vapeurs d'éther emplissaient la rue.

— Va, dit Colin.

— Qu'est-ce qu'elle a, demanda Nicolas.

— Oh! Ça ne pouvait pas être pire! dit Colin.

Il se rendit compte de ce qu'il venait de dire et regarda Chloé. Il l'aimait tellement en ce moment qu'il se serait tué pour son imprudence.

Chloé, recroquevillée dans un coin de la voiture, mordait ses poings. Ses cheveux lustrés lui tombaient sur la figure et elle piétinait sa toque de fourrure. Elle pleurait de toutes ses forces, comme un bébé, mais sans bruit.

— Pardonne-moi, ma Chloé, dit Colin. Je suis un monstre.

Il se rapprocha d'elle et la prit près de lui. Il embrassait ses pauvres yeux affolés et sentait son cœur battre à coups sourds et lents dans sa poitrine.

— On va te guérir, dit-il. Ce que je voulais dire, c'est qu'il ne pouvait rien arriver de pire que de te voir malade quelle que soit la maladie...

— J'ai peur... dit Chloé. Il m'opérera sûrement.

— Non, dit Colin. Tu seras guérie avant.

— Qu'est-ce qu'elle a? répéta Nicolas. Je peux faire quelque chose?

Lui aussi avait l'air très malheureux. Son aplomb ordinaire s'était fortement ramolli.

— Ma Chloé, dit Colin, calme-toi.

— C'est sûr, dit Nicolas. Elle sera guérie très vite.

— Ce nénuphar, dit Colin. Où a-t-elle pu attraper ça?

— Elle a un nénuphar? demanda Nicolas incrédule.

— Dans le poumon droit, dit Colin. Le professeur croyait au début que c'était seulement quelque chose d'animal. Mais c'est ça. On l'a vu sur l'écran. Il est déjà assez grand, mais, enfin, on doit pouvoir en venir à bout.

— Mais oui, dit Nicolas.

— Vous ne pouvez pas savoir ce que c'est, sanglota Chloé, ça fait tellement mal quand il bouge!!!

— Pleurez pas, dit Nicolas. Ça ne sert à rien et vous allez vous fatiguer.

La voiture démarra. Nicolas la menait lentement à travers les maisons compliquées. Le soleil disparaissait peu à peu derrière les arbres et le vent fraîchissait.

— Le docteur veut qu'elle aille à la montagne, dit Colin. Il prétend que le froid tuera cette saleté...

— C'est sur la route qu'elle a attrapé ça, dit Nicolas. C'était plein d'un tas de dégoûtations du même genre.

— Il dit aussi qu'il faut tout le temps mettre des fleurs autour d'elle, ajouta Colin, pour faire peur à l'autre...

— Pourquoi? demanda Nicolas.

110

— Parce que si il fleurit, dit Colin, il y en aura d'autres. Mais, on ne le laissera pas fleurir...

— Et c'est tout comme traitement? demanda Nicolas.

— Non, dit Colin.

— Qu'est-ce qu'il y a d'autre?

Colin hésitait à répondre. Il sentait Chloé pleurer contre lui et il haïssait la torture qu'il allait devoir lui infliger.

— Il ne faut pas qu'elle boive... dit-il.

— Quoi?... demanda Nicolas. Rien?...

— Non, dit Colin.

— Pas rien du tout, tout de même!...

— Deux cuillerées par jour... murmura Colin.

— Deux cuillerées!... dit Nicolas.

Il n'ajouta rien et fixa la route droit devant lui.

XLI

Alise sonna deux coups et attendit. La porte d'entrée lui paraissait plus étroite que d'habitude. Le tapis semblait terne et aminci. Nicolas vint ouvrir.

— Bonjour!... dit-il. Tu viens les voir?

— Oui, dit Alise. Ils sont là?

— Oui, dit Nicolas. Viens, Chloé est là.

Il referma la porte. Alise examinait le tapis.

— Il fait moins clair qu'avant, ici, dit-elle. A quoi cela tient-il?

— Je ne sais pas, dit Nicolas.

— C'est drôle, dit Alise. Il n'y avait pas un tableau, ici?

— Je ne me rappelle plus, dit Nicolas.

Il passa une main hésitante dans ses cheveux.

— De fait, dit-il, on a l'impression que l'atmosphère n'est plus la même.

— Oui, dit Alise. C'est ça.

Elle avait un tailleur brun, bien coupé, et un gros bouquet de narcisses à la main.

— Toi, dit Nicolas, tu es en forme. Ça va?

— Oui, dit Alise, ça va. Chick m'a offert un tailleur, tu vois...

— Il te va bien, dit Nicolas.

— J'ai de la chance, dit Alise, que la duchesse de Bovouard ait juste les mêmes mesures que moi. Il est d'occasion. Chick voulait un papier qu'il y avait dans une des poches, alors il l'a acheté.

Elle regarda Nicolas et ajouta :

— Tu ne vas pas bien.

— Euh! dit Nicolas... Je ne sais pas. J'ai l'impression que je vieillis.

— Montre ton passeport, dit Alise.

Il fouilla dans sa poche revolver.

— Voilà, dit-il.

Alise ouvrit le passeport et pâlit.

— Quel âge avais-tu? demanda-t-elle à voix basse.

— Vingt-neuf ans... dit Nicolas.

— Regarde...

Il compta. Cela faisait trente-cinq.

— Je ne comprends pas... dit-il.

— Ça doit être une erreur, dit Alise. Tu ne parais pas plus de vingt-neuf ans.

— J'avais l'air d'en avoir vingt et un, dit Nicolas.

— Ça s'arrangera sûrement, dit Alise.

— J'aime tes cheveux, dit Nicolas. Viens, viens voir Chloé.

— Qu'est-ce qu'il y a ici? dit Alise pensive.

— Oh! dit Nicolas. C'est cette maladie. Ça nous bouleverse tous. Ça s'arrangera et je rajeunirai.

Chloé était allongée sur son lit, vêtue d'un pyjama de soie mauve et d'une longue robe de chambre de satin piqué, d'un léger beige orange. Autour d'elle, il y avait beaucoup de fleurs et, surtout, des orchidées et des roses. Il y avait aussi des hortensias, des œillets, des camélias, de longues branches de fleurs de pêcher et d'amandier et des brassées de jasmin. Sa poitrine était découverte et une grosse corolle bleue tranchait sur l'ambre de son sein droit. Ses pommettes étaient un peu roses et ses yeux brillants, mais secs, et ses cheveux légers et électrisés comme des fils de soie.

— Tu vas prendre froid! dit Alise. Couvre-toi!

— Non, murmura Chloé. Il le faut. C'est le traitement.

— Quelles jolies fleurs! dit Alise. Colin est en train de se ruiner, ajouta-t-elle gaiement pour faire rire Chloé.

— Oui, murmura Chloé. Elle eut un pauvre sourire.

— Il cherche du travail, dit-elle à voix basse. C'est pour cela qu'il n'est pas là.

— Pourquoi parles-tu comme ça? demanda Alise.

— J'ai soif... dit Chloé dans un souffle.

— Tu ne prends réellement que deux cuillerées par jour? dit Alise.

— Oui... soupira Chloé.

Alise se pencha vers elle et l'embrassa.

— Tu vas bientôt être guérie.

— Oui, dit Chloé. Je pars demain avec Nicolas et la voiture.

— Et Colin? demanda Alise.

— Il reste, dit Chloé. Il faut qu'il travaille. Mon pauvre Colin!... Il n'a plus de doublezons...

— Pourquoi? demanda Alise.

— Les fleurs... dit Chloé.

— Est-ce qu'il grandit? murmura Alise.

— Le nénuphar? dit Chloé tout bas. Non, je crois qu'il va partir.

— Alors, tu es contente?

— Oui, dit Chloé. Mais j'ai si soif.

— Pourquoi n'allumes-tu pas? demanda Alise. Il fait très sombre ici.

— C'est depuis quelque temps, dit Chloé. C'est depuis quelque temps. Il n'y a rien à faire. Essaye.

Alise manœuvra le commutateur et un léger halo se dessina autour de la lampe.

— Les lampes meurent, dit Chloé. Les murs se rétrécissent aussi. Et la fenêtre, ici, aussi.

— C'est vrai? demanda Alise.

— Regarde...

La grande baie vitrée qui courait sur toute la largeur du mur n'occupait que deux rectangles oblongs arrondis aux extrémités. Une sorte de pédoncule s'était formé au milieu de la baie, reliant les deux bords, et barrant la route au

113

soleil. Le plafond avait baissé notablement et la plate-forme où reposait le lit de Colin et Chloé n'était plus très loin du sol.

— Comment est-ce que cela peut se faire ? demanda Alise.

— Je ne sais pas.., dit Chloé. Tiens, voilà un peu de lumière.

La souris à moustaches noires venait d'entrer, portant un petit fragment d'un des carreaux du couloir de la cuisine qui répandait une vive lueur.

— Sitôt qu'il fait trop noir, expliqua Chloé, elle m'en apporte un peu.

Elle caressa la petite bête qui déposa son butin sur la table de chevet.

— Tu es gentille d'être venue me voir, tout de même, dit Chloé.

— Oh ! dit Alise, tu sais, je t'aime bien.

— Je sais, dit Chloé. Et Chick ?

— Oh ! ça va, dit Alise. Il m'a acheté un tailleur.

— Il est joli, dit Chloé. Il te va bien.

Elle s'arrêta de parler.

— Tu as mal ? dit Alise. Ma pauvre.

Elle se pencha et caressa la joue de Chloé.

— Oui, gémit Chloé. J'ai si soif...

— Je comprends, dit Alise. Si je t'embrassais, tu aurais moins soif.

— Oui, dit Chloé.

Alise se pencha vers elle.

— Oh ! soupira Chloé. Comme tu as les lèvres fraîches...

Alise sourit. Ses yeux étaient humides.

— Où pars-tu ? demanda-t-elle.

— Pas loin, dit Chloé. Dans la montagne.

Elle se tourna sur le côté gauche.

— Tu l'aimes bien, Chick ?

— Oui, dit Alise. Mais lui aime mieux ses livres.

— Je ne sais pas, dit Chloé. C'est peut-être vrai. Si je n'avais pas épousé Colin, j'aimerais tellement que ce soit toi qui vives avec lui.

Alise l'embrassa de nouveau.

XLII

Chick sortit de la boutique. Il n'y avait rien d'intéressant pour lui là-dedans. Il marchait en regardant ses pieds chaussés de cuir brun rouge, et s'étonna de voir que l'un cherchait à l'entraîner d'un côté, et l'autre dans une direction opposée. Il réfléchit quelques instants construisit mentalement la bissectrice de l'angle et s'élança le long de cette ligne. Il faillit se faire écraser par un gros taxi obèse et ne dut son salut qu'au bond gracieux qui le projeta sur les pieds d'un passant, lequel jura et entra à l'hôpital pour se faire soigner.

Chick reprit son chemin, droit devant lui, il y avait une librairie, c'était la rue Jimmy-Noone et l'enseigne était peinte à l'imitation du Mahogany Hall de Lulu White. Il poussa la porte, elle lui rendit brutalement sa poussée et il entra par la vitrine sans insister.

Le libraire fumait le calumet de paix, assis sur les œuvres complètes de Jules Romains qui les a conçues pour cet usage. Il avait un très joli calumet de paix en terre de bruyère, qu'il bourrait de feuilles d'olivier. Il y avait aussi à côté de lui une cuvette pour rendre son goujon, et une serviette humide pour se rafraîchir les tempes et un flacon d'alcool de menthe de Ricqlès pour corser l'effet du calumet.

Il leva vers Chick un regard désincarné et malodorant.

— Que vous voulez? demanda-t-il.

— Voir vos livres... répondit Chick.

— Voyez, dit l'homme, et il se pencha sur sa cuvette, mais ce n'était qu'une fausse alerte.

Chick s'avança vers le fond de la boutique. Il y régnait une atmosphère propice à la découverte. Quelques insectes craquèrent sous ses pas. Cela sentait le vieux cuir et la fumée des feuilles d'olivier, qui est une odeur plutôt abominable.

Les livres étaient classés par ordre alphabétique, mais le marchand ne savait pas bien l'alphabet, et Chick trouva le coin de Partre entre le B et le T. Il s'arma de sa loupe et se mit à examiner les reliures. Il eût tôt fait de repérer, sur un exemplaire de *La Lettre et le Néon*, l'étude critique célèbre sur les enseignes lumineuses, une empreinte digitale intéressante. Fébrilement, il tira de sa poche une petite boîte qui contenait, outre un pinceau à poils doux, de la poudre à composter et un *Aide-Mémoire du Flique Modèle*, par le chamoine Vouille. Il opéra soigneusement, comparant avec une fiche qu'il tira de son portefeuille, et s'arrêta, haletant. C'était l'empreinte de l'index gauche de Partre, que, jusque-là, personne n'avait pu repérer ailleurs que sur ses vieilles pipes.

Serrant sur son cœur la précieuse trouvaille, il revint vers le libraire.

— Combien celui-là?

Le libraire regarda le livre et ricana.

— Ah! vous l'avez trouvé!...

— Qu'a-t-il d'extraordinaire? demanda Chick faussement étonné.

— Bouh!... s'esclaffa le libraire en lâchant sa pipe qui tomba dans la cuvette et s'éteignit.

Il dit un gros juron et se frotta les mains, satisfait de ne plus avoir à tirer sur cette infâme cochonnerie.

— Je vous le demande... insista Chick.

Son cœur commençait à le lâcher et sonnait des grands coups sur ses côtes, irrégulièrement, avec sauvagerie.

— Oh! là, là... dit le libraire qui étouffait et se roulait par terre. Vous êtes un rigolo!...

— Écoutez, dit Chick décontenancé, expliquez-vous...

— Quand je pense, dit le libraire, que pour avoir cette empreinte, j'ai dû lui offrir plusieurs fois mon calumet de paix et apprendre la prestidigitation pour le remplacer, au dernier moment, par un livre...

— Passons, dit Chick. Puisque vous le savez, c'est combien?

— C'est pas cher, dit le libraire, mais j'ai mieux. Attendez-moi.

Il se leva, disparut derrière une demi-cloison qui

116

coupait en deux la boutique, fouilla dans quelque chose et revint aussitôt.

— Voilà, dit-il en lançant un pantalon sur le comptoir.

— Qu'est-ce que c'est? murmura Chick avec anxiété.

Une délicieuse excitation s'emparait de lui.

— Un pantalon à Partre!... annonça fièrement le libraire.

— Comment avez-vous fait? dit Chick en extase.

— Profité d'une conférence... expliqua le libraire. S'en est même pas aperçu. Il y a des brûlures de pipe, vous savez...

— J'achète, dit Chick.

— Quoi? demanda le marchand, parce que j'ai encore autre chose...

Chick porta la main à sa poitrine. Il ne réussit pas à contenir le battement de son cœur et le laissa s'emballer un peu.

— Voilà... dit le marchand de nouveau.

C'était une pipe sur le tuyau de laquelle Chick reconnut aisément la marque des dents de Partre.

— Combien? dit Chick.

— Vous savez, dit le libraire, qu'en ce moment, il prépare une encyclopédie de la nausée en vingt volumes avec des photos et j'aurai des manuscrits...

— Mais je ne pourrai jamais... dit Chick atterré.

— Qu'est-ce que vous voulez que ça me foute? demanda le libraire.

— Combien pour ces trois choses-là? demanda Chick.

— Mille doublezons, dit le marchand. C'est mon dernier prix. J'en ai refusé douze cents hier, et c'est parce que vous avez l'air soigneux.

Chick tira son portefeuille. Il était horriblement pâle.

XLIII

— Tu vois, dit Colin, on ne met plus de nappe.

— Ça ne fait rien, dit Chick. Pourtant, je ne comprends pas pourquoi le bois est gras comme ça...

— Je ne sais pas, dit Colin distraitement. Je crois qu'on ne peut plus le nettoyer. Ça revient tout le temps de l'intérieur.

— Et est-ce que le tapis n'était pas en laine, avant, demanda Chick. Celui-là a l'air en coton...

— C'est le même, dit Colin. Non, je ne crois pas qu'il soit différent.

— C'est drôle, dit Chick, on a l'impression que le monde s'étrique autour de soi.

Nicolas apportait une soupe onctueuse où nageaient des croûtons. Il leur servit de grandes assiettées.

— Qu'est-ce que c'est, ça, Nicolas, demanda Chick.

— Une soupe au Kub et à la farine de panouilles, répondit Nicolas. C'est super.

— Ah! dit Chick, vous avez trouvé ça dans Gouffé?

— Pensez-vous! dit Nicolas. C'est une recette à de Pomiane. Gouffé, c'est bon pour les snobards. Et puis, il faut un tel matériel pour ça!...

— Mais vous avez ce qu'il faut, dit Chick.

— Quoi? dit Nicolas. Il y a juste le gaz et un frigiploque, comme partout. Qu'est-ce que vous imaginez?

— Oh!... Rien!!! dit Chick.

Il remua sur sa chaise. Il ne savait comment continuer la conversation.

— Tu veux du vin? demanda Colin. Je n'ai plus que celui-là, dans ma cave. Il n'est pas mauvais.

Chick tendit son verre.

— Alise est venue voir Chloé, il y a trois jours, dit Colin. Je n'ai pas pu la voir et hier Nicolas a emmené Chloé à la montagne.

— Oui, dit Chick. Alise me l'avait dit.

— J'ai reçu une lettre du professeur Mangemanche, dit Colin. Il me demandait beaucoup d'argent. Je crois que c'est un homme capable.

Colin avait mal à la tête. Il aurait voulu que Chick parle, raconte des histoires, n'importe quoi. Chick fixait quelque chose dans le vague, à travers la fenêtre. Soudain il se leva et, tirant un mètre de sa poche, il alla mesurer le châssis.

— J'ai l'impression que ça change, dit-il.

— Comment ça? demanda Colin avec détachement.

— Ça rétrécit, dit Chick, et la pièce aussi...

— Comment veux-tu? dit Colin. Ça n'a pas le sens commun...

Chick ne répondit pas. Il prit son carnet et son crayon et nota des chiffres.

— As-tu trouvé du travail? demanda-t-il.

— Non... dit Colin. J'ai un rendez-vous tantôt et un demain.

— Quel genre de travail cherches-tu? demanda Chick.

— Oh! n'importe quoi, dit Colin. Pourvu qu'ils me donnent de l'argent. Les fleurs coûtent très cher.

— Oui, dit Chick.

— Et ton travail à toi? dit Colin.

— Je me faisais remplacer par un type, dit Chick, parce que j'avais beaucoup de choses à faire...

— Ils avaient accepté? demanda Colin.

— Oui, ça allait, il était bien au courant.

— Alors? demanda Colin.

— Quand j'ai voulu rentrer, expliqua Chick, ils m'ont dit que l'autre faisait très bien l'affaire, mais que si je voulais un nouveau poste, ils en avaient un à m'offrir. Seulement, c'était moins bien payé...

— Ton oncle ne peut plus te donner d'argent, dit Colin.

Il ne posait même pas la question. Cela lui paraissait évident.

— Je ne pourrais pas lui en demander, dit Chick. Il est mort.

— Tu ne me l'avais pas dit...

— Ce n'était pas intéressant, murmura Chick.

Nicolas revint avec une poêle graisseuse dans laquelle se débattaient trois saucisses noires.

— Mangez-les comme ça, dit-il, je ne peux pas en venir à bout. Elles sont résistantes à un point extraordinaire. J'ai mis de l'acide nitrique, c'est pour ça qu'elles sont noires mais ça n'a pas suffi.

Colin réussit à piquer une des saucisses avec sa fourchette et elle se tordit dans un dernier spasme.

— J'en ai une, dit-il. A toi, Chick!

— J'essaye, dit Chick, mais c'est dur.

Il envoya un grand jet de graisse sur la table.

— Zut! dit-il.

— Ça ne fait rien, dit Nicolas. C'est bon pour le bois.

Chick parvint à se servir et Nicolas remmena la troisième saucisse.

— Je ne sais pas ce qu'il y a, dit Chick. Est-ce que c'était comme ici, avant?

— Non, avoua Colin. Ça change partout. Je ne peux rien y faire. C'est comme la lèpre. C'est depuis que je n'ai plus de doublezons...

— Tu n'en as plus du tout? demanda Chick.

— A peine... répondit Colin. J'ai payé d'avance pour la montagne et pour les fleurs parce que je ne veux rien ménager pour tirer Chloé de là. Mais, à part ça, les choses vont mal d'elles-mêmes.

Chick avait fini sa saucisse.

— Viens voir le couloir de la cuisine, dit Colin!

— Je te suis, dit Chick.

A travers les vitres, de chaque côté, on distinguait un soleil terne, blafard, semé de grandes taches noires, un peu plus lumineux en son centre. Quelques maigres faisceaux de rayons réussissaient à pénétrer dans le couloir, mais, au contact des carreaux de céramique autrefois si brillants, ils se fluidifiaient et ruisselaient en longues traces humides. Une odeur de cave émanait des murs. La souris à moustaches noires, dans un coin, s'était fait un nid surélevé. Elle ne pouvait plus jouer sur le sol avec des rayons d'or, comme avant. Elle était blottie dans un amas de menus morceaux de tissu et frissonnait, ses longues moustaches englués par l'humidité. Elle avait, pendant un temps, réussi à gratter un peu les carreaux pour qu'ils brillent de nouveau, mais la tâche était trop immense pour ses petites pattes, et elle restait, désormais, dans son coin, tremblante et sans forces.

— Ça ne chauffe pas, les radiateurs? demanda Chick en remontant son col de veste?

120

— Si, dit Colin, ça chauffe toute la journée, mais il n'y a rien à faire. C'est ici que ça a commencé...

— C'est la barbe, dit Chick. Il faudrait faire venir l'architecte...

— Il est venu, dit Colin. Et, depuis, il est malade.

— Oh! dit Chick. Ça s'arrangera, probablement.

— Je ne crois pas, dit Colin. Viens, on va aller finir de déjeuner avec Nicolas.

Ils entrèrent à la cuisine. Là aussi, la pièce avait rétréci. Nicolas, assis devant une table laquée de blanc, mangeait distraitement, en lisant un livre.

— Écoute, Nicolas... dit Colin.

— Oui, dit Nicolas. J'allais vous apporter le dessert.

— C'est pas ça, dit Colin. On va le manger ici. C'est autre chose. Nicolas, tu ne veux pas que je te mette à la porte?

— J'ai pas envie, dit Nicolas.

— Il faut, dit Colin. Ici, tu baisses. Tu as vieilli de dix ans, depuis huit jours.

— De sept ans, rectifia Nicolas.

— Je ne veux pas te voir comme ça. Tu n'y es pour rien. C'est l'atmosphère.

— Mais toi, dit Nicolas, ça ne te fait rien?

— C'est pas pareil, dit Colin. Moi, il faut que je guérisse Chloé, et tout le reste m'est égal, alors ça ne prend pas sur moi. Ton club, comment ça va?

— Je n'y vais plus guère... dit Nicolas.

— Je ne veux plus de ça, répéta Colin. Les Ponteau-zanne cherchent un cuisinier, j'ai signé pour toi. Je voulais que tu me dises si tu es d'accord.

— Non, dit Nicolas.

— Eh bien! dit Colin, tu iras quand même.

— C'est dégueulasse de ta part, dit Nicolas. J'ai l'air de foutre le camp comme un rat.

— Non, dit Colin. Il faut. Tu sais bien comme ça me fait de la peine...

— Je sais bien, dit Nicolas, et il ferma son livre et mit sa tête sur ses bras.

— Tu n'as pas de raisons d'être fâché, dit Colin.

121

— Je ne suis pas fâché, grogna Nicolas.

Il releva la tête. Il pleurait silencieusement.

— Je suis un idiot, dit-il.

— Tu es un chic type, Nicolas, dit Colin.

— Non, dit Nicolas. Je voudrais me retirer dans un coing. A cause de l'odeur. Et puis parce que j'y serais tranquille...

XLIV

Colin monta l'escalier, vaguement éclairé par des vitraux immobiles, et se trouva au premier étage. Devant lui, une porte noire tranchait sur la pierre froide du mur. Il entra sans sonner, remplit une fiche et la remit à l'huissier, qui la vida, en fit une petite boule, l'introduisit dans le canon d'un pistolet tout préparé et visa soigneusement un guichet pratiqué dans la cloison voisine. Il pressa la gâchette en se bouchant l'oreille droite avec la main gauche et le coup partit. Il se remit posément à charger son pistolet pour un nouveau visiteur.

Colin resta debout jusqu'à ce qu'une sonnerie ordonnât à l'huissier de l'introduire dans le bureau du directeur.

Il suivit l'homme dans un long passage aux virages relevés. Les murs, dans les virages, restaient perpendiculaires au sol et s'inclinaient, par conséquent, de l'angle supplémentaire, et il devait aller très vite pour garder son équilibre. Avant de se rendre compte de ce qui lui arrivait, il se trouva devant le directeur. Il s'assit, obéissant, dans un fauteuil rétif, qui se cabra sous son poids et ne s'arrêta que sur un geste impératif de son maître.

— Alors?... dit le directeur.

— Eh bien, voilà!... dit Colin.

— Que savez-vous faire? demanda le directeur.

— J'ai appris les rudiments..., dit Colin.

— Je veux dire, dit le directeur, à quoi passez-vous votre temps?

— Le plus clair de mon temps, dit Colin, je le passe à l'obscurcir.

— Pourquoi? demanda plus bas le directeur.

— Parce que la lumière me gêne, dit Colin.

— Ah!... Hum!... marmonna le directeur. Vous savez pour quel emploi on demande quelqu'un, ici?

— Non, dit Colin.

— Moi non plus..., dit le directeur. Il faut que je demande à mon sous-directeur. Mais vous ne paraissez pas pouvoir remplir l'emploi...

— Pourquoi? demanda Colin à son tour.

— Je ne sais pas..., dit le directeur.

Il avait l'air inquiet et recula un peu son fauteuil.

— N'approchez pas!... dit-il rapidement.

— Mais... je n'ai pas bougé..., dit Colin.

— Oui..., oui..., marmotta le directeur. On dit ça... Et puis...

Il se pencha, méfiant, vers son bureau, sans quitter Colin des yeux, et décrocha son téléphone qu'il agita vigoureusement.

— Allô!... cria-t-il. Ici, tout de suite!...

Il remit le récepteur en place et continua de considérer Colin avec un regard soupçonneux.

— Quel âge avez-vous? demanda-t-il.

— Vingt et un..., dit Colin.

— C'est ce que je pensais..., murmura son vis-à-vis.

On frappa à la porte.

— Entrez! cria le directeur, et sa figure se détendit.

Un homme, miné par l'absorption continuelle de poussière de papier, et dont on devinait les bronchioles remplies, jusqu'à l'orifice, de pâte cellulosique reconstituée, entra dans le bureau. Il portait un dossier sous le bras.

— Vous avez cassé une chaise, dit le directeur.

— Oui, dit le sous-directeur.

Il posa le dossier sur la table.

— On peut la réparer, vous voyez...

Il se tourna vers Colin.

— Vous savez réparer les chaises?

— Je pense..., dit Colin désorienté. Est-ce très difficile?

— J'ai usé, assura le sous-directeur, jusqu'à trois pots de colle de bureau sans y parvenir.

— Vous les paierez! dit le directeur. Je les retiendrai sur vos appointements...

— Je les ai fait retenir sur ceux de ma secrétaire, dit le sous-directeur. Ne vous inquiétez pas, patron.

— Est-ce, demanda timidement Colin, pour réparer les chaises que vous demandiez quelqu'un?

— Sûrement! dit le directeur.

— Je ne me rappelle plus bien, dit le sous-directeur. Mais vous ne *pouvez* pas réparer une chaise...

— Pourquoi? dit Colin.

— Simplement parce que vous ne pouvez pas, dit le sous-directeur.

— Je me demande à quoi vous l'avez vu? dit le directeur.

— En particulier, dit le sous-directeur, parce que ces chaises sont irréparables, et, en général, parce qu'il ne me donne pas l'impression de pouvoir réparer une chaise.

— Mais, qu'est-ce qu'une chaise a à faire avec un emploi de bureau? dit Colin.

— Vous vous asseyez par terre, peut-être, pour travailler? ricana le directeur.

— Mais vous ne devez pas travailler souvent, alors renchérit le sous-directeur.

— Je vais vous dire, dit le directeur, vous êtes un fainéant!...

— Voilà..., un fainéant..., approuva le sous-directeur.

— Nous, conclut le directeur, ne pouvons, en aucun cas, engager un fainéant!...

— Surtout quand nous n'avons pas de travail à lui donner..., dit le sous-directeur.

— C'est absolument illogique, dit Colin abasourdi par leurs voix de bureau.

— Pourquoi illogique, hein? demanda le directeur.

— Parce que, dit Colin, ce qu'il faut donner à un fainéant, c'est justement pas de travail.

— C'est ça, dit le sous-directeur, alors, vous voulez remplacer le directeur?

Ce dernier éclata de rire à cette idée.

— Il est extraordinaire!... dit-il.

Son visage se rembrunit et il recula encore son fauteuil.

— Emmenez-le..., dit-il au sous-directeur. Je vois bien pourquoi il est venu... Allez, vite!... Déguerpis, clampin! hurla-t-il.

Le sous-directeur se précipita vers Colin, mais celui-ci avait saisi le dossier oublié sur la table.

— Si vous me touchez..., dit-il.

Il recula peu à peu vers la porte.

— Va-t'en! criait le directeur. Suppôt de Satin!...

— Vous êtes un vieux con, dit Colin, et il tourna la poignée de la porte.

Il lança son dossier vers le bureau et se précipita dans le couloir. Quand il arriva à l'entrée, l'huissier lui tira un coup de pistolet et la balle de papier fit un trou en forme de tête de mort dans le battant qui venait de se refermer.

XLV

— Je reconnais que c'est une belle pièce, dit l'antiquaire en tournant autour du pianocktail de Colin.

— C'est de l'érable mouché, dit Colin.

— Je vois, dit l'antiquitaire. Je suppose qu'il marche bien.

— J'essaye de vendre ce que j'ai de mieux, dit Colin.

— Ça doit vous faire de la peine, dit l'antiquaire en se penchant pour examiner un petit dessin du bois.

Il souffla sur quelques grains de poussière qui ternissaient l'éclat du meuble.

— Vous ne préféreriez pas gagner de l'argent par votre travail et pouvoir le conserver?

Colin se rappela le bureau du directeur et le coup de pistolet de l'huissier et il dit non.

— Vous y viendrez tout de même, dit l'antiquaire, quand vous n'aurez plus rien à vendre...

— Si mes frais s'arrêtaient d'augmenter... dit Colin, et il se reprit : ... si mes frais cessaient de croître, j'aurais assez, en vendant mes choses, pour vivre sans travailler. Vivre pas très bien, mais vivre.

— Vous n'aimez pas le travail? dit l'antiquaire.

— C'est horrible, dit Colin. Ça rabaisse l'homme au rang de la machine.

— Et vos frais ne cessent de croître? demanda l'antiquaire.

— Les fleurs coûtent très cher, dit Colin, et la vie à la montagne aussi...

— Mais, si elle guérissait? dit l'antiquaire.

— Oh! dit Colin.

Il eut un sourire heureux.

— Ce serait si merveilleux!... murmura-t-il.

— Ce n'est pas entièrement impossible, tout de même, dit l'antiquaire.

— Non! Bien sûr!... dit Colin.

— Mais il faut du temps, dit l'antiquaire.

— Oui, dit Colin, et le soleil s'en va...

— Cela peut revenir, dit l'antiquaire, encourageant.

— Je ne crois pas, dit Colin. Ça se passe en profondeur. Il y eut un silence.

— Est-ce qu'il est garni? demanda l'antiquaire en désignant le pianocktail.

— Oui, dit Colin. Tous les réceptacles sont pleins.

— Je joue assez bien du piano, on pourrait l'essayer.

— Si vous voulez, dit Colin.

— Je vais chercher un siège.

Ils étaient au milieu de la boutique où Colin avait fait transporter son pianocktail. De tous côtés, il y avait des piles d'étranges vieux objets en forme de fauteuils, de chaises, de consoles ou d'autres meubles. Il ne faisait pas très clair et ça sentait la cire des Indes et le vibrion bleu. L'antiquaire se munit d'un tabouret de bois de fer étamé et se mit en place. Il avait retiré le bec-de-cane de la porte qui, de ce fait, se trouvait muette et ne les dérangerait pas.

— Vous connaissez du Duke Ellington?... dit Colin.

— Oui, dit l'antiquaire. Je vais vous jouer le *Blues of the Vagabond*.

— Je le règle à combien? dit Colin. Vous prenez trois chorus?

— Oui, dit l'antiquaire.

— Bon, dit Colin. Ça fera un demi-litre en tout. Ça va!

— Parfait, répondit le marchand qui commença à jouer.

Il avait un toucher d'une extrême sensibilité et les notes s'envolaient, aussi aériennes que les perles de clarinette de Barney Bigard dans la version de Duke.

Colin s'était assis par terre pour écouter, adossé au pianocktail, et il pleurait de grosses larmes elliptiques et souples qui roulaient sur ses vêtements et filaient dans la poussière. La musique passait à travers lui et ressortait filtrée, et l'air qui ressortait de lui ressemblait beaucoup plus à *Chloé* qu'au *Blues du Vagabond*. Le marchand d'antiquités fredonnait un contre-chant d'une simplicité pastorale et balançait sa tête de côté comme un serpent à sonnettes. Il joua les trois chorus et s'arrêta. Colin, heureux jusqu'au fond de l'âme, restait assis là, et c'était comme quand Chloé n'était pas malade.

— Comment fait-on, maintenant? demanda l'antiquaire.

Colin se leva et ouvrit le petit panneau mobile en faisant la manœuvre, et ils prirent les deux verres remplis d'un liquide avec des irisations d'arc-en-ciel. L'antiquaire but le premier en clappant sa langue.

— C'est exactement le goût du blues, dit-il. De ce blues-là même. C'est fort, votre invention, vous savez!...

— Oui, dit Colin, ça marchait très bien.

— Vous savez, dit l'antiquaire, je vais sûrement vous en donner un bon prix.

— J'en serai bien content, dit Colin. Tout marche mal pour moi, maintenant.

— C'est comme ça, dit l'antiquaire. Ça ne peut pas toujours aller bien.

— Mais ça pourrait ne pas aller toujours mal, dit Colin. On se rappelle beaucoup mieux les bons moments; alors, à quoi servent les mauvais?

— Si je jouais *Misty Morning?* proposa l'antiquaire. Est-ce que c'est bon?

— Oui, dit Colin. Ça rend formidablement. Ça donne un cocktail gris perle et vert menthe, avec un goût de poivre et de fumée.

L'antiquaire se remit au piano et joua *Misty Morning*. Ils le burent. Puis il joua encore *Blues Bubbles* et s'arrêta car il commençait à jouer deux notes à la fois, et Colin à entendre quatre airs différents d'un coup. Colin ferma le couvercle du piano avec précaution.

— Alors, dit l'antiquaire, on parle affaires, maintenant ?

— Voui ! dit Colin.

— Votre pianocktail est un truc fantastique, dit l'antiquaire, je vous en offre trois mille doublezons.

— Non, dit Colin, c'est trop.

— J'insiste, dit l'antiquaire.

— Mais c'est idiot, dit Colin. Je ne veux pas. Deux mille, si vous voulez.

— Non, dit l'antiquaire. Remportez-le, je refuse.

— Je ne veux pas vous le vendre trois mille, dit Colin, c'est un vol !...

— Mais non... insista l'antiquaire. Je peux le revendre quatre mille la minute d'après...

— Vous savez bien que vous le garderez, dit Colin.

— Évidemment, dit l'antiquaire. Écoutez, coupons la poire en deux : deux mille cinq cents doublezons.

— Allons, dit Colin, d'accord. Mais qu'est-ce qu'on va faire des deux moitiés de cette sacrée poire ?

— Voilà... dit l'antiquaire.

Colin prit l'argent et le mit soigneusement dans son portefeuille. Il titubait un peu.

— Je ne tiens pas bien, dit-il.

— Naturellement, dit l'antiquaire. Vous viendrez écouter un coup avec moi, de temps en temps ?

— Promis, dit Colin. Maintenant, il faut que je m'en aille. Nicolas va m'engueuler.

— Je vous accompagne un bout, dit l'antiquaire, j'ai une course à faire.

— C'est aimable à vous !... dit Colin.

Ils sortirent. Le ciel bleu-vert pendait presque jusqu'au

128

pavé et de grandes taches blanches marquaient sur le sol la place où des nuages venaient de se fracasser.

— Il y a eu de l'orage, dit l'antiquaire.

Ils firent quelques mètres ensemble et le compagnon de Colin s'arrêta devant un bazar.

— Attendez-moi une minute, dit-il. Je reviens!...

Il entra. A travers la vitre, Colin le vit choisir un objet qu'il regarda attentivement par transparence et enfouit dans sa poche.

— Voilà!... dit-il en refermant la porte.

— C'était quoi? demanda Colin.

— Un niveau d'eau, répondit l'antiquaire. J'ai l'intention de me jouer tout mon répertoire sitôt que je vous aurai raccompagné, et j'ai à marcher par la suite...

XLVI

Nicolas regardait son four. Il était assis devant avec un ringard et une lampe à souder et il vérifiait l'intérieur. Le four s'avachissait un peu sur le dessus et les tôles mollissaient, prenant la consistance de tranches de gruyère minces. Il entendit les pas de Colin dans le couloir, et se redressa sur son siège. Il se sentait fatigué. Colin poussa la porte et entra. Il avait l'air content.

— Alors? demanda Nicolas. Ça a été?

— Je l'ai vendu, dit Colin. Deux mille cinq cents...

— Doublezons?... dit Nicolas.

— Oui, dit Colin.

— Inespéré!...

— Je ne m'y attendais pas non plus. Tu regardais ton four?

— Oui, dit Nicolas. Il est en train de se transformer en marmite à charbon de bois, et je me demande foutre comment ça se fait...

— C'est très bizarre, dit Colin, mais ça ne l'est pas plus que le reste. Tu as vu le couloir?

— Oui, dit Nicolas. Ça devient du sapin...

— Je voulais te répéter, dit Colin, que je ne veux plus que tu restes ici.

— Il y a une lettre, dit Nicolas.

— De Chloé?

— Oui, dit Nicolas, sur la table.

En décachetant la lettre, Colin entendait la douce voix de Chloé, et il n'eut qu'à écouter pour la lire. Il y avait dedans :

« Mon Colin chéri,

« Je vais bien, il fait beau. Le seul ennui, c'est les taupes de neige, c'est des bêtes qui rampent entre la neige et la terre, elles ont de la fourrure orange et crient fort le soir. Elles font de gros monticules de neige et on tombe dessus. Il y a plein de soleil et je vais revenir bientôt. »

— C'est des bonnes nouvelles, dit Colin. Alors, tu vas aller chez les Ponteauzanne.

— Non, dit Nicolas.

— Si, dit Colin. Ils ont besoin d'un cuisinier et moi je ne veux pas que tu restes ici..., tu vieillis trop, et je te dis que j'ai signé pour toi.

— Et la souris? dit Nicolas. Qui lui donnera à manger?

— Je m'en occuperai, dit Colin.

— C'est pas possible, dit Nicolas. Et puis je ne suis plus dans le coup.

— Mais si, dit Colin. C'est l'atmosphère d'ici qui t'écrase... Aucun de vous ne peut tenir...

— Tu dis toujours ça, dit Nicolas, et ça n'explique rien.

— Enfin, dit Colin, là n'est pas la question!...

Nicolas se leva et s'étira. Il avait l'air triste.

— Tu ne fais plus rien d'après Gouffé, dit Colin. Tu négliges ta cuisine, tu te laisses aller.

— Mais non, protesta Nicolas.

— Laisse-moi continuer, dit Colin. Tu ne t'habilles plus le dimanche et tu ne te rases plus tous les matins.

— C'est pas un crime, dit Nicolas.

— C'est un crime, dit Colin. Je ne peux pas te payer à ta valeur. Mais, actuellement, ta valeur baisse et c'est un peu de ma faute.

130

— C'est pas vrai, dit Nicolas. C'est pas de ta faute si tu es embêté.

— Si, dit Colin, c'est parce que je me suis marié et parce que...

— C'est idiot, dit Nicolas. Qui est-ce qui fera la cuisine?

— Moi, dit Colin.

— Mais, tu vas travailler!... Tu n'auras pas le temps.

— Non, je ne travaillerai pas. J'ai tout de même vendu mon pianocktail pour deux mille cinq cents doublezons.

— Oui, dit Nicolas, tu es bien avancé avec ça!...

— Tu vas aller chez les Ponteauzanne, dit Colin.

— Oh! dit Nicolas! Tu m'embêtes. J'irai. Mais c'est pas chic de ta part.

— Tu reprendras tes bonnes manières.

— Tu as assez protesté contre mes bonnes manières...

— Oui, dit Colin, parce qu'avec moi, c'était pas la peine.

— Tu m'embêtes, dit Nicolas. Tu m'embêtes et tu m'embêtes.

XLVII

Colin entendit frapper à la porte de l'entrée et se hâta. Une de ses pantoufles avait un gros trou et il dissimula son pied sous le tapis.

— C'est haut, chez vous, dit Mangemanche en entrant.

Il émettait un souffle compact.

— Bonjour, docteur, dit Colin en rougissant, parce qu'il était obligé de montrer son pied.

— Vous avez changé d'appartement, dit le professeur, c'était moins loin avant.

— Mais non, dit Colin. C'est le même.

— Mais non, dit le professeur. Quand vous faites une plaisanterie, vous avez intérêt à être plus sérieux et à trouver des réponses plus spirituelles.

— Oui? dit Colin... Certainement.

— Comment ça va? la malade? dit le professeur.

— C'est mieux, dit Colin. Elle a meilleure mine et elle n'a plus mal.

— Hum!... dit le professeur. C'est louche.

Il passa, suivi de Colin dans la chambre de Chloé et baissa la tête pour ne pas se heurter au chambranle, mais celui-ci s'infléchit au même moment et le professeur émit un gros juron. Chloé, dans son lit, riait en voyant l'entrée du professeur.

La chambre était parvenue à des dimensions assez réduites. Le tapis, contrairement à celui des autres pièces, avait épaissi, et le lit reposait maintenant, dans une petite alcôve avec des rideaux de satin. La grande baie était complètement divisée en quatre petites fenêtres carrées par les pédoncules de pierre qui avaient fini de pousser. Il y régnait une lumière un peu grise mais propre. Il y faisait chaud.

— Vous me direz encore que vous n'avez pas changé d'appartement, hein? dit Mangemanche.

— Je vous jure, docteur... commença Colin.

Il s'arrêta, car le professeur le regardait d'un air inquiet et soupçonneux.

— ... Je plaisantais!... termina-t-il en riant.

Mangemanche s'approcha du lit.

— Alors, dit-il, découvrez-vous. Je vais vous ausculter.

Chloé entrouvrit son mantelet de duvet.

— Ah! dit Mangemanche. Ils vous ont opérée là-bas...

— Oui..., répondit Chloé.

Elle avait, sous le sein droit, une petite cicatrice, parfaitement ronde.

— Ils l'ont retiré par là quand il est mort? dit le professeur. Était-il grand?

— Un mètre, je crois, dit Chloé. Avec une grosse fleur de vingt centimètres.

— Sale truc!... marmotta le professeur. Vous n'avez pas eu de chance. De cette taille-là, ce n'est pas courant!

— Ce sont les autres fleurs qui l'ont fait mourir, dit Chloé. En particulier une fleur de vanillier qu'ils m'ont amenée à la fin.

— C'est étrange, dit le professeur. Je n'aurais pas cru

que le vanillier puisse produire un effet. Je pensais plutôt au genévrier ou à l'acacia. La médecine, vous savez, c'est un jeu d'andouilles, conclut-il.

— Certainement, dit Chloé.

Le professeur l'auscultait. Il se releva.

— Ça va, dit-il. Évidemment, ça a laissé des traces...

— Oui? dit Chloé.

— Oui, dit le professeur. Vous avez actuellement un poumon complètement arrêté ou presque.

— Ça ne me gêne pas, dit Chloé, si l'autre est bon!

— Si vous attrapez quelque chose à l'autre, dit le professeur, ça sera ennuyeux pour votre mari.

— Pas pour moi? demanda Chloé.

— Plus pour vous, dit le professeur.

Il se releva.

— Je ne veux pas vous faire peur inutilement, mais faites bien attention.

— Je fais bien attention, dit Chloé.

Ses yeux s'agrandissaient. Elle passa une main timide dans ses cheveux.

— Comment est-ce que je peux faire pour être sûre de ne rien attraper d'autre? dit-elle, et sa voix pleurait presque.

— Ne vous troublez pas, mon petit, dit le professeur. Il n'y a aucune raison pour que vous attrapiez quelque chose d'autre.

Il regarda autour de lui.

— J'aimais mieux votre premier appartement. Il avait l'air plus sain.

— Oui, dit Colin, mais ce n'est pas notre faute...

— Qu'est-ce que vous faites dans la vie, vous? demanda le professeur.

— J'apprends des choses, dit Colin. Et j'aime Chloé.

— Votre travail ne vous rapporte rien? demanda le professeur...

— Non, dit Colin. Je ne fais pas un travail au sens où les gens l'entendent.

— Le travail est une chose infecte, je sais bien,

murmura le professeur, mais ce qu'on choisit de faire, évidemment, ne peut pas rapporter, puisque...

Il s'interrompit.

— Vous m'aviez montré, la dernière fois, un appareil qui donnait des résultats étonnants. L'avez-vous encore par hasard?

— Non, dit Colin. Je l'ai vendu. Mais je peux vous offrir à boire tout de même...

Mangemanche passa les doigts dans le col de sa chemise jaune et se gratta le cou.

— Je vous suis. Au revoir, jeune dame, dit-il.

— Au revoir, docteur, dit Chloé.

Elle se coula tout au fond du lit et ramena les couvertures sous son cou. Sa figure était claire et tendre sur les draps bleu lavande ourlés de pourpre.

XLVIII

Chick passa la poterne de contrôle et donna sa carte à pointer à la machine. Comme d'habitude, il trébucha sur le seuil de la porte métallique du passage d'accès aux ateliers et une bouffée de vapeur et de fumée noire le frappa violemment à la face. Les bruits commençaient à lui parvenir : sourd vrombissement des turboalternateurs généraux, chuintement des ponts roulants sur les poutrelles entrecroisées, vacarme des vents violents de l'atmosphère se ruant sur les tôles de la toiture. Le passage était très sombre, éclairé, tous les six mètres, par une ampoule rougeâtre, dont la lumière ruisselait paresseusement sur les objets lisses, s'accrochant, pour les contourner, aux rugosités des parois et du sol. Sous ses pieds, la tôle bosselée était chaude, crevée par endroits, et l'on apercevait, par les trous, la gueule rouge et sombre des fours de pierre tout en bas. Les fluides passaient en ronflant dans de gros tuyaux peints en gris et rouge, au-dessus de sa tête, et, à chaque pulsation du cœur mécanique que les chauffeurs mettaient sous pression, la charpente s'infléchissait légèrement vers l'avant avec un faible retard et une vibration profonde. Des gouttes se formaient sur la paroi, se détachant parfois lors d'une pulsation plus forte, et, quand une de ces gouttes lui tombait sur le cou, Chick frissonnait. C'était une eau terne et qui sentait l'ozone. Le passage tournait tout au bout, et le sol, maintenant, à claire-voie, dominait les ateliers.

En bas, devant chaque machine trapue, un homme se débattait, luttant pour ne pas être déchiqueté par les engrenages avides. Au pied droit de chacun, un lourd anneau de fer était fixé. On ne l'ouvrait que deux fois par jour : au milieu de la journée et le soir. Ils disputaient aux machines les pièces métalliques qui sortaient en cliquetant des étroits orifices ménagés sur le dessus. Les pièces retombaient presque immédiatement, si on ne les recueillait pas à temps, dans la gueule, grouillante de rouages, où s'effectuait la synthèse.

Il y avait des appareils de toutes tailles. Chick connaissait bien ce spectacle. Il travaillait au bout de l'un des ateliers et devait contrôler la bonne marche des machines et donner aux hommes des indications pour les remettre en état lorsqu'elles s'arrêtaient après leur avoir arraché un morceau de chair.

Pour purifier l'atmosphère, de longs jets d'essences traversaient obliquement la pièce, luisants de reflets, par places, et condensant autour d'eux les fumées et les poussières de métal et d'huile chaude qui montaient en colonnes droites et minces au-dessus de chaque machine. Chick releva la tête. Les tuyaux le suivaient toujours. Il arriva à la cage de la plate-forme de descente, entra et referma la porte derrière lui. Il tira de sa poche un livre de Partre, pressa le bouton de commande et se mit à lire en attendant d'atteindre le sol.

Le choc sourd de la plate-forme sur le butoir de métal le tira de sa torpeur. Il sortit et gagna son bureau, une boîte vitrée et faiblement éclairée d'où il pouvait surveiller les ateliers. Il s'assit, rouvrit son livre et reprit sa lecture, endormi par la pulsation des fluides et la rumeur des machines.

Une discordance dans le vacarme lui fit soudain lever

les yeux. Il chercha d'où provenait le bruit suspect. Un des jets de purification venait de s'arrêter net au milieu de la salle et restait en l'air comme tranché en deux. Les quatre machines qu'il avait cessé de desservir, trépidaient. On les voyait remuer à distance, et, devant chacune d'elles, une forme s'affaissait peu à peu. Chick posa son livre et se rua au-dehors. Il courut vers le tableau de manœuvre des jets et baissa rapidement une poignée. Le jet brisé restait immobile. On eût dit une lame de faux et les fumées des quatre machines montaient en l'air en tourbillonnant. Il abandonna le tableau et se précipita vers les machines. Elles s'arrêtaient lentement. Les hommes qui y étaient affectés gisaient à terre. Leur jambe droite repliée formait un angle bizarre, à cause de l'anneau de fer et leurs quatre mains droites étaient sectionnées au poignet. Le sang brûlait au contact du métal de la chaîne et répandait dans l'air une odeur horrible de bête vivante carbonisée.

Chick, au moyen de sa clé, défit les anneaux qui retenaient les corps et étendit ceux-ci devant les machines. Il regagna son bureau, et commanda, par téléphone, les brancardiers de service. Il revint ensuite près du tableau de manœuvre et tenta de remettre le jet en marche. Rien n'y faisait. Le liquide partait bien droit, mais, arrivé au niveau de la quatrième machine disparaissait sur place, et l'on apercevait la tranche du jet, aussi nette que s'il eût été sectionné d'un coup de hache.

Tâtant, avec ennui, son livre dans sa poche, il se dirigea vers le Bureau Central. Au moment de quitter l'atelier, il s'effaça pour laisser sortir les brancardiers qui avaient empilé les quatre corps sur un petit chariot électrique et s'apprêtaient à les déverser dans le Collecteur Général.

Il suivit un nouveau couloir. Loin devant lui, le petit chariot vira avec un ronronnement doux, en laissant échapper quelques étincelles blanches. Le plafond, très bas, répercutait le bruit de sa marche sur le métal. Le sol montait un peu. Pour arriver au Bureau Central, il fallait longer trois autres ateliers et Chick suivait distraitement sa route. Il parvint enfin au bloc principal et entra chez le chef du personnel.

— Il y a une avarie aux numéros sept cent neuf, dix, onze et douze, signala-t-il à une secrétaire derrière un guichet. Les quatre hommes à remplacer, et les machines à enlever, je pense. Puis-je parler au chef du personnel?

La secrétaire manœuvra quelques poussoirs rouges sur un tableau d'acajou verni, et dit : « Entrez, il vous attend. »

Chick entra et s'assit. Le chef du personnel le regarda d'un air interrogateur.

— Il me faut quatre hommes, dit Chick.

— Bon, dit le chef du personnel, demain vous les aurez.

— Un des jets de purification ne fonctionne plus, ajouta-t-il.

— Ça ne me regarde pas, dit le chef du personnel. Voyez à côté.

Chick sortit et remplit les mêmes formalités avant d'entrer chez le chef du matériel.

— Un des jets de purification du sept cents ne marche plus, dit-il.

— Plus du tout?

— Il ne va plus jusqu'au bout, dit Chick.

— Vous n'avez pas pu le remettre en marche?

— Non, dit Chick, il n'y a rien à faire.

— Je vais faire examiner votre atelier, dit le chef du matériel.

— Mon rendement baisse, dit Chick. Faites vite.

— Ça ne me regarde pas, dit le chef du matériel. Voyez le chef de la production.

Chick gagna le bloc voisin et entra chez le chef de la production. Il y avait un bureau violemment éclairé, et, derrière le bureau, fixé au mur, un grand tableau de verre dépoli, sur lequel l'extrémité d'une ligne rouge se déplaçait très lentement vers la droite comme une chenille au bord d'une feuille; les aiguilles de gros niveaux circulaires à lunette chromée tournaient encore plus lentement sous le tableau.

— Votre production baisse de 0,7 '%,, dit le chef. Qu'est-ce qu'il y a?

— Quatre machines hors circuit, dit Chick.

— A 0,8 vous êtes renvoyé, dit le chef de la production.

Il consulta le niveau en pivotant sur son fauteuil chromé.

— 0,78, dit-il. A votre place, je me préparerais déjà.

— C'est la première fois que ça m'arrive, dit Chick.

— Je regrette, dit le chef de la production. Peut-être pourra-t-on vous changer de service...

— Je n'y tiens pas, dit Chick. Je ne tiens pas à travailler. Je n'aime pas ça.

— Personne n'a le droit de dire ça, dit le chef de la production. Vous êtes renvoyé, ajouta-t-il.

— Je n'y pouvais rien, dit Chick. Qu'est-ce que c'est que la justice?

— Jamais entendu parler, dit le chef de la production. J'ai du travail, il faut dire.

Chick quitta le bureau. Il retourna chez le chef du personnel.

— Puis-je être payé? demanda-t-il.

— Quel numéro? demanda le chef du personnel.

— Atelier 700. Ingénieur.

— Bon.

Il se tourna vers sa secrétaire et dit :

— Faites le nécessaire.

— Allô! dit-il. Un ingénieur de rechange, type 5, pour l'atelier 700.

— Voilà, dit la secrétaire en donnant une enveloppe à Chick. Il y a vos cent dix doublezons.

— Merci, dit Chick, et il s'en alla.

Il croisa l'ingénieur qui allait le remplacer, un jeune homme maigre et blond, l'air fatigué. Il se dirigea vers l'ascenseur le plus proche et pénétra dans la cabine.

XLIX

— Entrez, cria le tourneur de disques.

Il regarda vers la porte. C'était Chick.

— Bonjour, dit Chick. Je reviens vous voir pour ces enregistrements que je vous avais apportés.

— Je récapitule, dit l'autre. Pour les trente faces, confection des outils, gravure au pantographe de vingt exemplaires numérotés, de chaque face, ça vous fait, l'un dans l'autre, cent huit doublezons. Je vous les laisse à cent cinq.

— Voilà, dit Chick. J'ai un chèque de cent dix doublezons, je vous l'endosse et rendez-moi cinq doublezons.

— D'accord, dit le tourneur de disques.

Il ouvrit son tiroir et donna à Chick un billet de cinq doublezons tout neuf.

Les yeux de Chick s'éteignaient dans sa figure.

L

Isis descendit. Nicolas conduisait la voiture. Il regarda sa montre et la suivit des yeux, tandis qu'elle pénétrait dans la maison de Colin et de Chloé. Il avait un uniforme neuf de gabardine blanche et une casquette de cuir blanc. Il était rajeuni, mais son expression inquiète trahissait un désarroi profond.

L'escalier diminuait brusquement de largeur à l'étage de Colin et Isis pouvait toucher, à la fois, la rampe et la paroi froide sans écarter les bras. Le tapis n'était plus qu'un léger duvet qui couvrait à peine le bois. Elle atteignit le palier, haleta un peu et sonna.

Personne ne vint ouvrir. Il n'y avait aucun bruit dans l'escalier, sinon de temps à autre, un léger craquement suivi d'un éclaboussement humide lorsqu'une marche se détendait.

Isis sonna de nouveau. Elle percevait, de l'autre côté de la porte, le léger frisson du marteau d'acier sur le métal. Elle secoua un peu la porte qui s'ouvrit d'un coup.

Elle entra et trébucha sur Colin. Il reposait, allongé par terre, la figure sur le sol, de côté, et les bras en avant... Ses yeux étaient fermés. Dans l'entrée, il faisait sombre.

Autour de la fenêtre, on voyait un halo de clarté qui ne pénétrait pas. Il respirait doucement. Il dormait.

Isis se baissa, s'agenouilla près de lui et lui caressa la joue. Sa peau frémit légèrement et ses yeux bougèrent sous ses paupières. Il regarda Isis et parut se rendormir. Isis le secoua un peu. Il s'assit, passa la main sur sa bouche et dit :

— Je dormais.

— Oui, dit Isis. Tu ne dors plus dans ton lit ?

— Non, dit Colin. Je voulais rester là pour attendre le docteur et aller chercher des fleurs.

Il avait l'air complètement désorienté.

— Qu'est-ce qu'il y a ? dit Isis.

— Chloé, dit Colin. Elle tousse de nouveau.

— C'est un peu d'irritation qui reste, dit Isis.

— Non, dit Colin. C'est l'autre poumon.

Isis se leva et courut vers la chambre de Chloé. Le bois du parquet giclait sous ses pas. Elle ne reconnaissait pas la chambre. Sur son lit, Chloé, la tête à demi cachée dans l'oreiller, toussait, sans bruit, mais sans interruption. Elle se redressa un peu en entendant Isis entrer et reprit haleine. Elle eut un faible sourire quand Isis s'approcha d'elle, s'assit sur le lit et la prit dans ses bras comme un bébé malade.

— Tousse pas, ma Chloé, murmura Isis.

— Tu as une jolie fleur, dit Chloé dans un souffle, en respirant le gros œillet rouge piqué dans les cheveux d'Isis. Ça fait du bien, ajouta-t-elle.

— Tu es encore malade ? dit Isis.

— C'est l'autre poumon, je crois, dit Chloé.

— Mais non, dit Isis, c'est le premier qui te fait encore un peu tousser.

— Non, dit Chloé. Où est Colin ? Il est parti me chercher des fleurs ?

— Il va venir, dit Isis. Je l'ai rencontré. A-t-il de l'argent ? ajouta-t-elle.

— Oui, dit Chloé, il en a encore un peu. A quoi ça sert, ça n'empêche rien !...

— Tu as mal ? demanda Isis.

140

— Oui, dit Chloé, mais pas beaucoup. La chambre a changé, tu vois.

— Je l'aime mieux comme ça, dit Isis. C'était trop grand avant.

— Comment sont les autres chambres? dit Chloé.

— Oh!... Bien... dit Isis évasivement.

Elle se rappelait encore la sensation du parquet froid comme un marécage.

— Ça m'est égal que ça change, dit Chloé. Du moment qu'il fait chaud et que ça reste confortable...

— Sûr! dit Isis. C'est plus gentil, un petit appartement.

— La souris reste avec moi, dit Chloé. Tu la vois, là-bas, dans le coin. Je ne sais pas ce qu'elle fabrique. Elle ne voulait plus aller dans le couloir.

— Oui... dit Isis.

— Donne encore ton œillet, dit Chloé, ça fait du bien.

Isis le détacha de sa chevelure et le donna à Chloé qui l'approcha de ses lèvres et le respira à longs traits.

— Comment va Nicolas? dit-elle.

— Bien, dit Isis. Mais il n'est plus gai comme avant. Je t'apporterai d'autres fleurs quand je reviendrai.

— Je l'aimais bien, Nicolas, dit Chloé. Tu ne vas pas l'épouser?

— Je ne peux pas murmura Isis. Je ne suis pas à sa hauteur.

— Ça ne fait rien, dit Chloé, si il t'aime...

— Mes parents n'osent pas lui en parler, dit Isis. Oh!...

L'œillet blêmissait soudain, se fripa, parut se dessécher. Il tombait maintenant, en fine poussière sur la poitrine de Chloé.

— Oh! dit Chloé à son tour, je vais tousser encore... Tu as vu!

Elle s'interrompit pour porter la main à sa bouche. Une quinte violente la ressaisit.

— C'est... cette chose que j'ai... qui les fait toutes mourir... balbutia-t-elle.

— Ne me parle pas, dit Isis. Ça n'a aucune importance. Colin va en rapporter.

Le jour était bleu, dans la chambre, et presque vert aux

angles. Il n'y avait pas encore trace d'humidité, et le tapis restait assez haut, mais une des quatre fenêtres carrées se fermait presque complètement.

Isis entendit le bruit humide des pas de Colin dans l'entrée.

— Le voilà, dit-elle. Il t'en rapporte sûrement.

Colin apparut. Il avait une grosse gerbe de lilas dans les bras.

— Tiens, ma Chloé, dit-il. Prends-les!...

Elle tendit les bras.

— Tu es gentil, mon chéri, dit-elle.

Elle posa le bouquet sur le second oreiller, se tourna sur le côté et enfouit sa figure dans les grappes blanches et sucrées.

Isis se levait.

— Tu t'en vas? dit Colin.

— Oui, dit Isis. On m'attend. Je reviendrai avec des fleurs.

— Tu seras gentille de venir demain matin, dit Colin. Il faut que j'aille chercher du travail, et je ne veux pas la laisser toute seule avant d'avoir revu le docteur.

— Je reviendrai... dit Isis.

Elle se pencha un peu, avec précaution, et elle embrassa Chloé sur sa joue tendre. Chloé leva la main et caressa la figure d'Isis, mais elle ne tourna pas la tête. Elle respirait avidement le parfum des lilas qui se déroulait en volutes lentes autour de ses cheveux brillants.

LI

Colin cheminait péniblement le long de la route. Elle s'enfonçait de biais, entre des levées de terre surmontées de dômes de verre qui prenaient, au jour, un éclat glauque et incertain.

De temps à autre, il levait la tête et lisait les plaques pour s'assurer qu'il avait pris la bonne direction et il voyait alors le ciel, rayé transversalement de marron sale et de bleu.

Loin devant lui, il pouvait apercevoir, au-dessus des talus, les cheminées alignées de la serre principale.

Il avait dans sa poche, le journal dans lequel on demandait des hommes de vingt à trente ans, pour préparer la défense du pays. Il marchait le plus vite possible, mais ses pieds enfonçaient dans la terre chaude, qui, partout, reprenait lentement possession des constructions et de la route.

On ne voyait pas de plantes. Surtout de la terre, en blocs uniformes, amoncelés des deux côtés, formant des remblais rapides en équilibre instable, et, parfois, une lourde masse oscillait, roulait le long du talus, et s'abattait mollement sur la surface du chemin.

A certains endroits, les remblais s'abaissaient et Colin distinguait, à travers les vitres troubles des dômes, des formes bleu sombre, qui s'agitaient vaguement sur un fond plus clair.

Il pressa le pas, arrachant ses pieds des trous qu'ils formaient dans le sol. La terre se resserrait aussitôt comme un muscle circulaire, et il ne subsistait plus qu'une faible dépression, à peine marquée. Elle s'effaçait presque immédiatement.

Les cheminées se rapprochaient. Colin sentait son cœur vibrer dans sa poitrine comme une bête enragée. Il serra le journal à travers l'étoffe de sa poche.

Le sol glissait et se dérobait sous ses pieds, mais il enfonçait moins et la route durcissait perceptiblement. Il aperçut la première cheminée près de lui, fichée en terre comme un pal. Des oiseaux foncés tournaient autour du sommet d'où s'échappait une mince fumée verte. A la base de la cheminée, un renflement arrondi assurait sa stabilité. Les bâtiments commençaient un peu plus loin. Il n'y avait qu'une porte.

Il entra, gratta ses pieds sur une grille luisante aux lames acérées et suivit un couloir bas, bordé par des lampes à lumière pulsée. Le carrelage était de briques rouges, et la partie supérieure des murs était, ainsi que le plafond, garnie de plaques de verre de plusieurs centimètres d'épaisseur, à travers lesquelles on entrevoyait des

143

masses sombres et immobiles. Tout au bout du couloir, il y avait une porte. Elle portait le numéro indiqué dans le journal, et il entra sans frapper, comme le recommandait l'annonce.

Un vieil homme en blouse blanche, les cheveux embroussaillés, lisait un manuel derrière son bureau. Des armes variées pendaient au mur, des jumelles brillantes, des fusils à feu, des lance-mort de divers calibres, et une collection complète d'arrache-cœurs de toutes les tailles.

— Bonjour, monsieur, dit Colin.

— Bonjour, monsieur, dit l'homme.

Sa voix était cassée et épaissie par l'âge.

— Je viens pour l'annonce, dit Colin.

— Ah? dit l'homme. Voilà un mois qu'elle passe sans résultats. C'est un travail assez dur, vous savez...

— Oui, dit Colin, mais c'est bien payé!

— Mon Dieu! dit l'homme. Cela vous use, voyez-vous et cela ne vaut peut-être pas le prix, mais ce n'est pas à moi de dénigrer mon administration. D'ailleurs, vous voyez que je suis encore en vie...

— Vous travaillez depuis longtemps? dit Colin.

— Un an, dit l'homme. J'ai vingt-neuf ans.

Il passa une main ridée et tremblante à travers les plis de son visage.

— Et maintenant, je suis arrivé, voyez-vous... je peux rester à mon bureau et lire le manuel toute la journée...

— J'ai besoin d'argent, dit Colin.

— Cela est fréquent, dit l'homme, mais le travail vous rend philosophe. Au bout de trois mois vous en aurez moins besoin.

— C'est pour soigner ma femme, dit Colin.

— Ah? Oui? dit l'homme.

— Elle est malade, expliqua Colin. Je n'aime pas le travail.

— Je regrette pour vous, dit l'homme. Quand une femme est malade, elle n'est plus bonne à rien.

— Je l'aime, dit Colin.

— Sans doute, dit l'homme. Sans ça vous ne voudriez

pas travailler. Je vais vous indiquer votre poste. C'est à l'étage au-dessus.

Il guida Colin à travers des passages nets aux voûtes surbaissées et des escaliers de brique rouge, jusqu'à une porte, voisine d'autres portes, qui était marquée d'un symbole.

— Voilà, dit l'homme. Entrez, je vais vous expliquer le travail.

Colin entra. La pièce était petite, carrée. Les murs et le sol étaient de verre. Sur le sol, reposait un gros massif de terre en forme de cercueil, mais très épais, un mètre au moins. Une lourde couverture de laine était roulée à côté par terre. Aucun meuble. Une petite niche, pratiquée dans le mur renfermait un coffret de fer bleu. L'homme alla vers le coffret et l'ouvrit. Il en retira douze objets brillants et cylindriques avec un trou au milieu, minuscule.

— La terre est stérile, vous savez ce que c'est, dit l'homme, il faut des matières de premier choix pour la défense du pays. Mais, pour que les canons de fusil poussent régulièrement, et sans distorsion, on a constaté, depuis longtemps qu'il faut de la chaleur humaine. Pour toutes les armes, c'est vrai, d'ailleurs.

— Oui, dit Colin.

— Vous pratiquez douze petits trous dans la terre, dit l'homme, répartis au milieu du cœur et du foie, et vous vous étendez sur la terre après vous être déshabillé. Vous vous recouvrez avec l'étoffe de laine stérile qui est là, et vous vous arranger pour dégager une chaleur parfaitement régulière.

Il eut un rire cassé et se tapa la cuisse droite.

— J'en faisais quatorze les vingt premiers jours de chaque mois. Ah!... j'étais fort!...

— Alors? demanda Colin.

— Alors vous restez comme ça vingt-quatre heures, et, au bout de vingt-quatre heures, les canons de fusil ont poussé. On vient les retirer. On arrose la terre d'huile et vous recommencer.

— Ils poussent vers le bas? dit Colin.

— Oui, c'est éclairé en dessous, dit l'homme. Ils ont un

145

phototropisme positif, mais ils poussent vers le bas parce qu'ils sont plus lourds que la terre, alors on éclaire surtout en dessous pour ne pas qu'il y ait de distorsion.

— Et les rayures? dit Colin.

— Ceux de cette espèce-là poussent tout rayés, dit l'homme. Ce sont des graines sélectionnées.

— A quoi servent les cheminées? demanda Colin.

— C'est pour l'aération, dit l'homme, et la stérilisation des couvertures et des bâtiments. Ce n'est pas la peine de prendre des précautions spéciales car c'est fait très énergiquement.

— Ça ne marche pas avec leur chaleur artificielle? dit Colin.

— Mal, dit l'homme. Il leur faut la chaleur humaine pour bien grandir.

— Vous employez des femmes? dit Colin.

— Elles ne peuvent pas faire le travail, dit l'homme. Elles n'ont pas la poitrine assez plate pour que la chaleur se répartisse bien. Je vais vous laisser travailler.

— Je gagnerai bien dix doublezons par jour? dit Colin.

— Certainement, dit l'homme et une prime si vous dépassez douze canons...

Il quitta la pièce et ferma la porte. Colin tenait les douze graines dans sa main. Il les posa à coté de lui et commença à se déshabiller. Il avait les yeux fermés et ses lèvres tremblaient de temps en temps.

LII

— Je ne sais pas ce qui se passe, dit l'homme, cela marchait bien au début. Mais, avec les derniers, nous ne pourrons faire que des armes spéciales.

— Vous allez me payer tout de même? demanda Colin inquiet.

Il devait toucher soixante-dix doublezons et une prime de dix doublezons. Il avait fait de son mieux, mais le contrôle des canons révélait certaines anomalies.

— Voyez vous-même, dit l'homme.

Il tenait un des canons devant lui et montrait à Colin l'extrémité évasée.

— Je ne comprends pas, dit Colin. Les premiers étaient parfaitement cylindriques.

— Bien entendu, on peut les utiliser à faire des tromblons à feu, dit l'homme, mais c'est le modèle d'il y a cinq guerres et nous en possédons déjà un gros stock. C'est ennuyeux.

— Je fais de mon mieux, dit Colin.

— Certainement, dit l'homme. Je vais vous donner vos quatre-vingts doublezons.

Il prit, dans le tiroir de son bureau, une enveloppe cachetée.

— Je l'ai fait porter ici pour vous éviter d'aller au service de paiement, dit-il, cela prend quelquefois des mois pour obtenir son argent et vous aviez l'air pressé.

— Je vous remercie, dit Colin.

— Je n'ai pas encore examiné votre production d'hier, dit l'homme. Elle va arriver tout de suite. Vous ne voulez pas attendre un instant?

Sa voix chevrotante et boiteuse était une souffrance pour les oreilles de Colin.

— Je vais attendre, dit-il.

— Voyez-vous, dit l'homme, nous sommes forcés de faire très attention à ces détails, parce qu'un fusil doit, tout de même, être pareil à un autre fusil, même s'il n'y a pas de cartouches...

— Oui... dit Colin.

— Il n'y a pas souvent de cartouches, dit l'homme, on est en retard sur les programmes de cartouches, on en a de grandes réserves pour un modèle de fusil qu'on ne fabrique plus, mais on n'a pas reçu l'ordre d'en faire pour les nouveaux fusils, alors, on ne peut pas s'en servir. Ça ne fait rien, d'ailleurs. Qu'est-ce que vous voulez faire avec un fusil contre une machine à roues. Les ennemis fabriquent une machine à roues pour deux fusils que nous faisons. Alors, nous avons la supériorité du nombre. Mais une machine à roues ne se soucie pas d'un fusil ou même de dix fusils, surtout sans cartouches...

147

— On ne fabrique pas de machines à roues, ici ? demanda Colin.

— Si, dit l'homme, mais on finit à peine le programme de la dernière guerre, alors elles ne marchent pas bien et il faut les démolir, et, comme elles sont très solidement construites, cela prend beaucoup de temps.

On tapa à la porte, et un manutentionnaire parut, poussant devant lui un chariot blanc stérilisé. Sous un linge blanc, il y avait la production de Colin pour le dernier jour. Le linge se soulevait à l'un des bouts. Cela n'aurait pas dû se produire avec des canons bien cylindriques et Colin se sentit inquiet. Le manutentionnaire sortit en fermant la porte.

— Ah !... dit l'homme. Ça n'a pas l'air de s'être arrangé.

Il souleva le linge. Il y avait douze canons d'acier bleu et froid, et, au bout de chacun, une jolie rose blanche s'épanouissait, fraîche et ombrée de beige au creux des pétales veloutés.

— Oh !... murmura Colin. Qu'elles sont belles !...

L'homme ne disait rien. Il toussa deux fois.

— Ça ne sera donc pas la peine de reprendre votre travail demain, dit-il hésitant.

Ses doigts s'accrochaient nerveusement au bord du chariot.

— Est-ce que je peux les prendre ? dit Colin. Pour Chloé ?

— Elles vont mourir, dit l'homme, si vous les détachez de l'acier. Elles sont en acier, vous savez...

— Ce n'est pas possible, dit Colin.

Il prit délicatement une rose et tenta de briser la tige. Il fit un faux mouvement et l'un des pétales lui déchira la main sur plusieurs centimètres de long. Sa main saignait, à lentes pulsations, de grosses gorgées de sang sombre qu'il avalait machinalement. Il regardait le pétale blanc marqué d'un croissant rouge et l'homme lui tapa sur l'épaule et le poussa doucement vers la porte.

LIII

Chloé dormait. Dans la journée, le nénuphar lui prêtait la belle couleur crème de sa peau, mais, pendant son sommeil, ce n'était pas la peine et les taches rouges de ses joues revenaient. Ses yeux faisaient deux marques bleutées sous son front, et, de loin, on ne savait pas s'ils étaient ouverts. Colin était assis sur une chaise dans la salle à manger, et il attendait. Il y avait beaucoup de fleurs autour de Chloé. Il pouvait encore attendre quelques heures avant de chercher un autre travail. Il voulait se reposer pour faire bonne impression et prendre un emploi vraiment rémunérateur. Il faisait presque noir dans la pièce. La fenêtre s'était fermée jusqu'à dix centimètres de l'appui et le jour n'entrait plus qu'en une bande étroite. Il avait juste le front et les yeux éclairés. Le reste de sa figure vivait dans l'ombre. Son pick-up ne marchait plus, il fallait maintenant le remonter à la main pour chaque disque et ça le fatiguait. Les disques s'usaient aussi. Maintenant, pour certains, on reconnaissait même difficilement la mélodie. Il pensait que si Chloé avait besoin de quelque chose, la souris viendrait l'avertir tout de suite. Est-ce que Nicolas épouserait Isis? Quelle robe mettrait Isis pour son mariage? Qui sonnait à la porte?

— Bonjour, Alise, dit Colin. Tu viens voir Chloé?

— Non, dit Alise. Je viens seulement.

Ils pouvaient rester dans la salle à manger. Avec les cheveux d'Alise il y faisait plus clair. Il y restait deux chaises.

— Tu t'ennuyais, dit Colin. Je sais ce que c'est.

— Chick est là, dit Alise. Il est chez lui.

— Tu dois rapporter quelque chose, expliqua Colin.

— Non, dit Alise, je dois rester ailleurs.

— Oui, dit Colin. Il est en train de repeindre...

— Non, dit Alise. Il a tout ses livres, mais il ne veut plus de moi.

— Tu lui as fait une scèr.e? dit Colin.

— Non, dit Alise.

— Il a mal compris ce que tu lui as dit, mais quand il ne sera plus en colère, tu lui expliqueras.

— Il m'a simplement dit qu'il n'avait plus que juste assez de doublezons pour faire relier son dernier livre en peau de néant, dit Alise, et qu'il ne pouvait plus supporter de me garder avec lui parce qu'il ne pouvait rien me donner, et je deviendrais laide avec les mains abîmées.

— Il a raison, dit Colin. Tu ne dois pas travailler.

— Mais j'aime Chick, dit Alise. J'aurais travaillé pour lui.

— Ça ne sert à rien, dit Colin. D'ailleurs tu ne peux pas, tu es trop jolie.

— Pourquoi m'a-t-il mise à la porte? dit Alise. J'étais vraiment très jolie?

— Je ne sais pas, dit Colin, mais moi j'aime beaucoup tes cheveux et ta figure.

— Regarde, dit Alise.

Elle se leva, tira le petit anneau de sa fermeture et la robe tomba par terre. C'était une robe de laine claire.

— Oui... dit Colin.

Il faisait très clair dans la pièce et Colin voyait Alise tout entière. Ses seins paraissaient prêts à s'envoler et les longs muscles de ses jambes déliées, à toucher, étaient fermes et chauds.

— Je peux embrasser? dit Colin.

— Oui, dit Alise, je t'aime bien.

— Tu vas avoir froid, dit Colin.

Elle s'approcha de lui. Elle s'assit sur ses genoux et ses yeux se mirent à pleurer sans bruit.

— Pourquoi est-ce qu'il ne veut plus de moi?

Colin la berçait doucement.

— Il ne comprend pas. Tu sais, Alise, c'est un bon garçon, pourtant.

— Il m'aimait beaucoup, dit Alise. Il croyait que les livres accepteraient de partager! Mais ça ne se peut pas.

— Tu vas avoir froid, dit Colin.

Il l'embrassait et lui caressait les cheveux.

— Pourquoi est-ce que je ne t'ai pas rencontré d'abord?

dit Alise. Je t'aurais aimé autant, mais, maintenant, je ne peux pas. C'est lui que j'aime.

— Je sais bien, dit Colin. J'aime mieux Chloé aussi, maintenant.

Il la fit lever et ramassa sa robe.

— Remets-la, ma chatte, dit-il. Tu vas avoir froid.

— Non, dit Alise. Et puis, ça ne fait rien.

Elle se rhabilla machinalement.

— Je ne voudrais pas que tu sois triste, dit Colin.

— Tu es gentil, dit Alise, mais je suis très triste. Je crois que je vais pouvoir faire quelque chose pour Chick, tout de même.

— Tu vas aller chez tes parents, dit Colin. Ils voudraient peut-être te voir... ou chez Isis.

— Chick ne sera pas là-bas, dit Alise. Je n'ai pas besoin d'être chez personne si Chick ne vient pas.

— Il viendra, dit Colin. J'irai le voir.

— Non, dit Alise. On ne peut plus entrer chez lui C'est toujours fermé à clé.

— Je le verrai tout de même, dit Colin. Ou alors, il viendra me voir.

— Je ne crois pas, dit Alise. Ce n'est plus le même Chick.

— Mais si, dit Colin. Les gens ne changent pas. Ce sont les choses qui changent.

— Je ne sais pas, dit Alise.

— Je vais t'accompagner, dit Colin. Je dois aller chercher du travail.

— Je ne vais pas par là, dit Alise.

— Je vais t'accompagner pour descendre, dit Colin.

Elle était en face de lui. Colin posa les deux mains sur les épaules d'Alise. Il sentait la chaleur de son cou et les cheveux doux et frisés près de sa peau. Il suivit le corps d'Alise avec ses mains. Elle ne pleurait plus. Elle n'avait pas l'air d'être là.

— Je ne voudrais pas que tu fasses des bêtise, dit Colin

— Oh! dit Alise. Je ne ferai pas de bêtises...

— Reviens me voir, dit Colin, si tu t'ennuies.

— Peut-être je reviendrai te voir, dit Alise.

Elle regardait à l'intérieur. Colin la prit par la main. Ils descendirent l'escalier. Ils glissaient, de temps à autre, sur les marches humides. En bas, Colin lui dit au revoir. Elle resta debout et le regarda s'en aller.

LIV

Le dernier était juste revenu de chez le relieur et Chick le caressait avant de le replacer dans son emboîtement. Il était recouvert de peau de néant, épaisse et verte, le nom de Partre se détachait en lettres creuses sur la reliure. Sur une seule étagère, Chick avait toute l'édition normale, et toutes les variantes, les manuscrits, les premiers tirages, les pages spéciales, occupaient des niches particulières dans l'épaisseur du mur.

Chick soupira. Alise l'avait quitté le matin. Il était forcé de lui dire de partir. Il lui restait un doublezon et un morceau de fromage et ses robes le gênaient dans l'armoire pour accrocher les vieux habits de Partre que le libraire lui procurait par miracle. Il ne se rappelait pas quel jour il l'avait embrassée pour la dernière fois. Il ne pouvait plus perdre son temps à l'embrasser. Il lui fallait réparer son pick-up pour apprendre par cœur le texte des conférences de Partre. S'il venait à casser les disques, il devait pouvoir conserver le texte.

Tous les livres de Partre étaient là, tous les livres publiés. Les reliures luxueuses soigneusement protégées par des étuis de cuir, les fers dorés, les exemplaires précieux à grandes marges bleues, les tirages limités sur tue-mouches ou vergé Saintorix, un mur entier leur était réservé, divisé en douillets alvéoles garnis de peau de velours. Chaque œuvre occupait un alvéole. Garnissant le mur opposé, rangés en piles brochées, les articles de Partre, extraits avec ferveur des revues, des journaux, des périodiques innombrables qu'il daignait favoriser de sa féconde collaboration.

Chick passa la main sur son front. Il y avait combien de temps qu'Alise vivait avec lui ?... Les doublezons de Colin devaient servir à l'épouser, mais elle n'y tenait pas tant. Elle se contentait de l'attendre, et se contentait d'être avec lui, mais on ne peut pas accepter cela d'une femme, qu'elle reste avec vous simplement parce qu'elle vous aime. Il l'aimait aussi. Il ne pouvait admettre de lui laisser perdre son temps puisqu'elle ne s'intéressait plus à Partre. Comment ne pas s'intéresser à un homme comme Partre?... capable d'écrire n'importe quoi, sur n'importe quel sujet, et avec quelle précision... Sûrement, Partre mettrait moins d'un an à réaliser son *Encyclopédie de la Nausée*, et la duchesse de Bovouard collaborerait à ce travail, et il y aurait des manuscrits extraordinaires. Il fallait, d'ici là, gagner assez de doublezons pour tenir et mettre en réserve au moins un acompte à donner au libraire. Chick n'avait pas payé ses impôts. Mais la somme des impôts lui était plus utile sous la forme d'un exemplaire du *Trou de Sainte Colombe*. Alise aurait mieux aimé que Chick employât les doublezons à payer les impôts, elle lui proposait même de vendre quelque chose à elle pour cela. Il avait accepté, et cela fit juste le prix d'une reliure pour le *Trou de Sainte Colombe*. Alise se passait très bien de son collier.

Il hésitait à rouvrir la porte. Peut-être était-elle derrière à attendre qu'il tournât la clé. Il ne le pensait pas. Ses pas, dans l'escalier, résonnaient comme un petit martèlement décroissant. Elle pourrait retourner chez ses parents et reprendre ses études. Après tout, cela ne faisait qu'un léger retard. On peut rattraper rapidement les cours qu'on a manqués. Mais Alise ne travaillait plus guère. Elle s'occupait trop des affaires de Chick et de lui faire à manger et de repasser sa cravate. Les impôts, après tout, ne seraient pas payés du tout. Est-ce qu'il y a des exemples qu'on vienne vous relancer à domicile parce qu'on n'a pas payé ses impôts? Cela n'arrive pas. On peut verser un acompte, un doublezon et puis, on vous laisse tranquille, et on n'en parle plus pendant quelque temps. Un type comme Partre payait-il ses impôts? C'est probable, et, après tout, est-ce que, du point de vue moral, il est recommandable de payer ses impôts, pour avoir, en contrepartie, le droit de se faire saisir, parce que d'autres payent des impôts qui servent à entretenir la police et les hauts fonctionnaires? C'est un cercle vicieux à briser, que personne n'en paie plus pendant assez longtemps et les fonctionnaires mourront tous de consomption et la guerre n'existera plus.

Chick souleva le couvercle de son pick-up à deux plateaux et mit deux disques différents de Jean-Sol Partre. Il voulait les écouter tous les deux en même temps, pour faire jaillir des idées nouvelles du choc de deux idées anciennes. Il se plaça à égale distance des deux haut-parleurs, afin que sa tête se trouve juste à l'endroit où ce choc aurait lieu, et conserve, automatiquement, les résultats de l'impact.

Les aiguilles firent un crachement sur l'escargot du début et se logèrent au creux du sillon et les mots de Partre retentirent dans le cerveau de Chick. De sa place, il regardait par la fenêtre, et constata que des fumées s'élevaient çà et là, sur les toits, en grosses volutes bleues, colorées de rouge par-dessous, comme des fumées de papier. Il voyait machinalement le rouge gagner sur le bleu, et les mots s'entrechoquaient avec de grandes lueurs, ouvrant à sa fatigue un champ de repos doux comme de la mousse au mois de mai.

LV

Le sénéchal de la police tira son sifflet de sa poche et s'en servit pour taper sur un énorme gong péruvien qui pendait derrière lui. On entendit une galopade de bottes ferrées à tous les étages, le bruit de chutes successives, et, par le toboggan, six de ses meilleurs agents d'armes firent irruption dans son bureau.

Ils se relevèrent sur leurs fesses pour enlever la poussière et se mirent au garde-à-vous.

— Douglas! appela le sénéchal.

— Présent! répondit le premier agent d'armes.

— Douglas! répéta le sénéchal.

— Présent! dit le second.

L'appel se poursuivit. Le sénéchal de la police ne pouvait se souvenir du nom de tous ses hommes et Douglas était un générique traditionnel.

— Mission spéciale! ordonna-t-il.

Du même geste, les six agents d'armes posèrent la main sur la poche fessière pour signifier qu'ils étaient munis de leur égalisateur à douze giclées.

— Je dirige personnellement! souligna le sénéchal.

Il frappa violemment le gong. La porte s'ouvrit et un secrétaire apparut.

— Je pars, annonça le sénéchal. Mission Spéciale. Bloc-notez.

Le secrétaire saisit son bloc et son crayon et se mit dans la position d'enregistrement réglementaire numéro six.

— Recouvrement d'impôts chez le sieur Chick, avec saisie préalable, dicta son chef. Passage à tabac de contrebande et blâme sévère. Saisie totale ou même partielle compliquée de violation de domicile.

— Noté! dit le secrétaire.

— En route, Douglas, commanda le sénéchal de la police.

Il se leva et prit la tête de l'escadrille qui démarra pesamment en imitant, avec ses douze pieds, le vol du coucou à gaufres. Les six hommes étaient vêtus d'une combinaison collante de cuir noir, blindée sur la poitrine et aux épaules, et leur casque en acier noirci de forme serre-tête, descendait bas sur la nuque et protégeait les tempes et le front. Tous portaient des bottes lourdes et métalliques. Le sénéchal avait une tenue analogue, mais de cuir rouge, et deux étoiles d'or brillaient sur ses épaules. Les égalisateurs gonflaient les poches arrière de ses acolytes; il tenait à la main une petite matraque d'or et une lourde grenade dorée pendait à sa ceinture. Ils descendirent l'escalier d'honneur et la sentinelle se mit au quant-à-soi tandis que le sénéchal levait la main vers son casque. Une voiture spéciale attendait à la porte. Le sénéchal s'assit à l'arrière, tout seul, et les six agents d'armes se rangèrent sur les marchepieds débordants, les deux plus gros d'un côté et les quatre maigres de l'autre.

Le conducteur portait aussi une combinaison de cuir noir mais pas de casque. Il démarra. La voiture n'avait pas de roues, mais une multitude de pieds vibratiles, de telle sorte que les projectiles perdus ne risquaient pas de crever les pneus. Les pieds renâclèrent sur le sol et le conducteur vira court à la première bifurcation; à l'intérieur, on avait l'impression d'être sur la crête d'une vague qui crève.

LVI

En regardant Colin s'éloigner, Alise lui disait au revoir de toutes ses forces dans son cœur. Il aimait tant Chloé, il allait chercher du travail pour elle, pour pouvoir acheter des fleurs et lutter contre cette horreur qui la dévorait dans la poitrine. Les épaules larges de Colin s'affaissaient un peu, il semblait si fatigué, ses cheveux blonds n'étaient plus peignés et ordonnés comme autrefois. Chick savait se montrer tellement doux en parlant d'un livre de Partre et en expliquant Partre. Il ne peut réellement pas se passer de Partre, il n'aura pas l'idée de rechercher quoi que ce soit d'autre, Partre dit tout ce qu'il voudrait savoir dire. On ne doit pas laisser Partre publier cette encyclopédie, ce sera la mort de Chick, il volera, il tuera un libraire. Alise se mit en route lentement. Partre passe ses journées dans un débit, à boire et écrire avec d'autres gens comme lui qui viennent boire et écrire, ils boivent du thé des Mers et des alcools doux, cela leur évite de penser à ce qu'ils écrivent et il entre et sort beaucoup de monde, cela remue les idées du fond et on en pêche une ou l'autre, il ne faut pas éliminer tout le superflu, on met un peu d'idées et un peu de superflu, on dilue. Les gens absorbent ces choses-là plus facilement, surtout les femmes n'aiment pas ce qui est pur. Le chemin n'était pas très long pour arriver au débit, de loin Alise vit un des garçons en veste blanche et pantalon citron servir un pied de cochon farci à Don Evany Marqué, le joueur de baise-bol célèbre, qui, au lieu de boire, ce qu'il détestait, absorbait des nourritures épicées pour donner soif à ses voisins. Elle entra, Jean-Sol

Partre, à sa place habituelle, écrivait, il y avait beaucoup de monde et ça parlait doux. Par un miracle ordinaire, ce qui est extraordinaire, Alise vit une chaise libre à côté de Jean-Sol et s'assit. Elle posa sur ses genoux son sac pesant et défit la fermeture. Par-dessus l'épaule de Jean-Sol, elle voyait le titre de la page, *Encyclopédie*, volume dix-neuf. Elle posa une main timide sur le bras de Jean-Sol; il s'arrêta d'écrire.

— Vous en êtes déjà là, dit Alise.

— Oui, répondit Jean-Sol. Vous vouliez me parler?

— Je voulais vous demander de ne pas le publier, dit-elle.

— C'est difficile, dit Jean-Sol. On l'attend.

Il retira ses lunettes, souffla sur les verres, et les remit; on ne voyait plus ses yeux.

— Bien sûr, dit Alise. Mais je veux dire, il faudrait seulement le retarder.

— Oh, dit Jean-Sol, s'il n'y a que ça, on peut voir.

— Il faudrait le retarder de dix ans, dit Alise.

— Oui? dit Jean-Sol.

— Oui, dit Alise. Dix ans, ou plus naturellement. Vous savez, il vaut mieux laisser les gens économiser pour pouvoir l'acheter.

— Ça sera assez embêtant à lire, dit Jean-Sol Partre, parce que ça m'embête déjà beaucoup à écrire. J'ai une forte crampe au poignet gauche à force de tenir la feuille.

— Je regrette pour vous, dit Alise.

— Que j'aie une crampe?

— Non, dit Alise, que vous ne vouliez pas retarder la publication.

— Pourquoi?

— Je vais vous expliquer: Chick dépense tout son argent à acheter ce que vous faites, et il n'a plus d'argent.

— Il ferait mieux d'acheter autre chose, dit Jean-Sol, moi je n'achète jamais mes livres.

— Il aime ce que vous faites.

— C'est son droit, dit Jean-Sol. Il a fait son choix.

— Il est trop engagé, je trouve, dit Alise. Moi, j'ai fait mon choix aussi, mais je suis libre, parce qu'il ne veut plus que je vive avec lui, alors je vais vous tuer, puisque vous ne voulez pas retarder la publication.

— Vous allez me faire perdre mes moyens d'existence, dit Jean-Sol. Comment voulez-vous que je touche mes droits d'auteur si je suis mort?

— Ça vous regarde, dit Alise, je ne peux pas tout prendre en considération puisque je veux vous tuer avant tout.

— Mais vous admettez bien que je ne puisse pas me rendre à une raison comme celle-là? demanda Jean-Sol Partre.

— J'admets, dit Alise. Elle ouvrit son sac et en tira l'arrache-cœur de Chick, qu'elle avait pris depuis plusieurs jours dans le tiroir de son bureau.

— Vous voulez défaire votre col? demanda-t-elle.

— Écoutez, dit Jean-Sol en retirant ses lunettes, je trouve cette histoire idiote.

Il déboutonna son col. Alise rassembla ses forces, et, d'un geste résolu, elle planta l'arrache-cœur dans la poitrine de Partre. Il la regarda, il mourait très vite, et il eut un dernier regard étonné en constatant que son cœur avait la forme d'un tétraèdre. Alise devint très pâle, Jean-Sol Partre était mort maintenant et le thé refroidissait. Elle prit le manuscrit de *l'Encyclopédie* et le déchira. Un des garçons vint essuyer le sang et toute la cochonnerie que cela faisait avec l'encre du stylo sur la petite table rectangulaire. Elle paya le garçon, ouvrit les deux branches de l'arrache-cœur, et le cœur de Partre resta sur la table; elle replia l'instrument brillant et le remit dans son sac, puis elle sortit dans la rue, tenant la boîte d'allumettes que Partre gardait dans sa poche.

LVII

Elle se retourna. Une épaisse fumée noire emplissait la vitrine et des gens commençaient à regarder, elle avait brûlé trois allumettes avant de faire partir le feu, les livres de Partre ne voulaient pas s'enflammer. Le libraire gisait derrière son bureau, son cœur, à côté de lui, commençait à brûler, une flamme noire et des jets recourbés de sang bouillant s'en échappaient déjà. Les deux premières librairies, trois cents mètres en arrière, flambaient en craquant et en ronflant, et les libraires étaient morts, tous ceux qui avaient vendu des livres à Chick allaient mourir de la même façon et leur librairie brûlerait. Alise pleurait et se hâtait, elle se rappelait les yeux de Jean-Sol Partre en voyant son cœur, elle ne voulait pas le tuer au début, seulement empêcher son nouveau livre de paraître et sauver Chick de cette ruine qui montait lentement autour de lui. Ils étaient tous ligués contre Chick, ils voulaient lui prendre son argent, ils profitaient de sa passion pour Partre, ils lui vendaient de vieux habits sans valeur et des pipes avec des empreintes, ils méritaient le sort qui les attendait. Elle vit à sa gauche une vitrine garnie de volumes brochés, elle s'arrêta, reprit sa respiration et entra. Le libraire s'approcha d'elle.

— Vous désirez ? demanda-t-il.

— Avez-vous du Partre ? dit Alise.

— Mais oui, dit le libraire, cependant pour l'instant, je ne peux pas vous fournir de reliques elles sont toutes retenues par un bon client.

— C'est Chick ? dit Alise.

— Oui, répondit le libraire, je crois que c'est son nom.

— Il ne viendra plus vous en acheter, dit Alise.

Elle s'approcha de lui et laissa tomber son mouchoir. Le libraire se baissa en craquant pour le ramasser, elle lui planta l'arrache-cœur dans le dos d'un geste rapide, elle pleurait et tremblait de nouveau, il tomba, la figure contre le plancher, elle n'osa pas reprendre son mouchoir, il avait resserré ses doigts dessus. L'arrache-cœur ressortit, entre ses branches, il tenait le cœur du libraire, tout petit et rouge clair, elle écarta les branches et le cœur roula près de son libraire. Il fallait se dépêcher, elle prit une pile de journaux, frotta une allumette, fit une torche et la lança sous le comptoir, et jeta les journaux dessus, puis précipita dans les flammes une douzaine de Nicolas Calas qu'elle prit sur le rayon le plus proche, et la flamme se rua sur les livres avec une vibration chaude; le bois du comptoir fumait et craquait, des vapeurs remplissaient le magasin. Alise bascula une dernière rangée de livres dans le feu et sortit à tâtons, elle retira le bec-de-cane pour qu'on n'entre pas et se remit à courir. Ses yeux piquaient et ses cheveux sentaient la fumée, elle courait et les larmes ne coulaient presque plus sur ses joues, le vent les séchait tout de suite. Elle se rapprochait du quartier où vivait Chick, il restait encore deux ou trois librairies seulement, les autres ne présentaient pas de danger pour lui. Elle se retourna avant d'entrer dans la suivante; loin derrière elle on voyait monter de grosses colonnes de fumée dans le ciel et les gens se pressaient pour regarder marcher les appareils compliqués du Corps des Pompeurs. Leurs grosses voitures blanches passèrent dans la rue comme elle refermait la porte; elle les suivit des yeux à travers la glace, et le libraire s'approcha d'elle en lui demandant ce qu'elle désirait.

LVIII

— Vous, dit le sénéchal de la police, vous resterez là, à droite de la porte, et vous, Douglas, continua-t-il en se tournant vers le second des deux gros agents, vous vous mettrez à gauche, et ne laissez personne entrer.

Les deux agents d'armes désignés prirent leur égalisateur et laissèrent retomber la main droite le long de la cuisse droite, le canon dirigé vers le genou, dans la position réglementaire. Ils assujettirent la jugulaire de leur casque sous leur menton, qui débordait devant et derrière. Le sénéchal entra, suivi des quatre maigres agents d'armes; il en plaça de nouveau un de chaque côté de la porte avec mission de ne laisser sortir personne. Il se dirigea vers l'escalier, suivi des deux maigres qui restaient. Ils se ressemblaient, ils avaient le teint bistré et les yeux noirs, et les lèvres minces.

LIX

Chick arrêta le pick-up pour changer les deux disques qu'il venait d'écouter simultanément jusqu'au bout. Il en prit d'une autre série; sous un des disques, il trouva une photo d'Alise, il croyait l'avoir perdue. Elle était de trois quarts, éclairée par une lumière fondue, et le photographe avait dû mettre un projecteur derrière elle pour faire du soleil dans le haut de ses cheveux. Il changea les disques et garda la photo à la main. En jetant un coup d'œil par la fenêtre, il constata que de nouvelles colonnes de fumée montaient, plus près de chez lui. Il allait écouter ces deux disques et descendre voir le libraire d'à côté. Il s'assit, sa main ramena la photo sous ses yeux, en la regardant plus attentivement, elle ressemblait à Partre; peu à peu, l'image de Partre se formait sur celle d'Alise et il sourit à Chick, certainement, il lui dédicacerait ce qu'il voudrait; des pas montaient dans l'escalier, il écouta, et des coups retentirent à sa porte. Il posa la photo, arrêta le pick-up, et alla ouvrir. Devant lui, il vit la combinaison de cuir noir d'un des agents d'armes, le second suivait et le sénéchal de la police entra le dernier, sur son vêtement rouge et son casque noir rampaient des reflets fugaces dans la pénombre du palier.

— Vous vous appelez Chick? dit le sénéchal.

Chick recula et sa figure devint blanche. Il recula jusqu'au mur où étaient ses beaux livres.

— Qu'est-ce que j'ai fait? demanda-t-il.

Le sénéchal fouilla dans sa poche de poitrine et lut le papier :

Recouvrement d'impôts chez le sieur Chick, avec saisie préalable. Passage à tabac de contrebande et blâme sévère. Saisie totale ou même partielle compliquée de violation de domicile.

— Mais... je paierai mes impôts, dit Chick.

— Oui, dit le sénéchal, vous les paierez après. D'abord,

il faut que nous vous passions à tabac de contrebande.
C'est un tabac très fort; nous utilisons l'abréviation pour
que les gens ne s'émeuvent pas.

— Je vais vous donner mon argent, dit Chick.

— Certainement, dit le sénéchal.

Chick s'approcha de la table et ouvrit le tiroir; il y
gardait un arrache-cœur de grand modèle et un tue-fliques
en mauvais état. Il ne trouva pas l'arrache-cœur mais le
tue-fliques bosselait une pile de vieux papiers.

— Dites donc, dit le sénéchal, c'est bien de l'argent que
vous cherchez?

Les deux agents s'étaient écartés l'un de l'autre et
tenaient leur égalisateur. Chick se redressa, il avait le tue-
fliques à la main.

— Attention, chef! dit un des agents d'armes.

— J'appuie, chef? demanda le second.

— Vous ne m'aurez pas comme ça, dit Chick...

— Très bien, dit le sénéchal, alors on va prendre vos
livres.

Un des agents saisit un livre à portée de sa main. Il
l'ouvrit brutalement.

— Rien que de l'écrit, chef, annonça-t-il.

— Violez, dit le sénéchal.

L'agent saisit le livre par la reliure et l'agita avec force.
Chick se mit à hurler.

— Ne touchez pas à ça!...

— Dites donc, dit le sénéchal, pourquoi est-ce que vous
ne vous servez pas de votre tue-fliques? Vous savez très
bien que le papier porte : Violation de domicile.

— Lâchez ça, rugit Chick de nouveau, et il leva son
tue-fliques, mais l'acier s'abaissa sans claquer.

— J'appuie, chef? demanda à nouveau l'agent d'armes.

Le livre venait de se détacher de sa reliure et Chick se
rua en avant, lâchant le tue-fliques inutilisable.

— Appuyez, Douglas, dit le sénéchal en reculant.

Le corps de Chick s'abattit aux pieds des agents
d'armes; tous les deux avaient tiré.

— On le passe à tabac de contrebande, chef? demanda
l'autre agent d'armes.

Chick remuait encore un peu. Il se souleva sur les mains et parvint à s'agenouiller. Il tenait son ventre et sa figure grimaçait pendant que des gouttes de sueur tombaient dans ses yeux. Il avait une grande entaille au front.

— Laissez ces livres... murmura-t-il. Sa voix était rauque et cassée.

— Nous allons les piétiner, dit le sénéchal. Je pense que vous serez mort dans quelques secondes.

La tête de Chick retombait, il s'efforçait de la redresser, mais son ventre lui faisait mal comme si des lames triangulaires tournaient à l'intérieur. Il réussit à mettre un pied sur terre, mais l'autre genou refusait de se déplier. Les agents d'armes s'approchèrent des livres pendant que le sénéchal faisait deux pas vers Chick.

— Ne touchez pas ces livres, dit Chick. On entendait le sang gargouiller dans sa gorge, et sa tête penchait de plus en plus. Il lâcha son ventre, ses mains étaient rouges, elles frappèrent l'air sans but et il retomba, le visage contre le plancher. Le sénéchal de la police le retourna du pied. Il ne bougeait plus et ses yeux ouverts regardaient plus loin que la chambre. Sa figure était coupée en deux par la barre de sang qui avait coulé de son front.

— Piétinez, Douglas! dit le sénéchal. Je vais personnellement briser cet appareil à bruit.

Il passa devant la fenêtre et vit qu'un gros champignon de fumée s'élevait lentement vers lui, issu du rez-de-chaussée de la maison voisine.

— Inutile de piétiner soigneusement, ajouta-t-il, la maison d'à côté est en train de brûler. Faites vite, c'est l'essentiel. Il n'en restera pas trace, mais je consignerai l'ensemble dans mon rapport.

La figure de Chick était toute noire. Sous son corps, la flaque de sang se coagulait en étoile.

LX

Nicolas dépassa l'avant-dernière librairie à laquelle Alise venait de mettre le feu. Il avait croisé Colin en route pour son travail et savait la détresse de sa nièce. Il apprit immédiatement la mort de Partre en téléphonant à son club et se mit à la poursuite d'Alise, il voulait la consoler et lui remonter le moral et la garder avec lui jusqu'à ce qu'elle soit gaie comme avant. Il vit la maison de Chick, et une flamme longue et mince sortit du milieu de la vitrine du libraire d'à côté, faisant éclater la glace comme un coup de marteau. Il remarqua, devant la porte, la voiture du sénéchal de la police et vit que le chauffeur la faisait avancer un peu pour éviter la zone dangereuse, et il aperçut aussi les silhouettes noires des agents d'armes. Les Pompeurs apparurent presque aussitôt. Leur voiture s'arrêta devant la librairie en faisant un bruit terrible. Nicolas luttait déjà avec la serrure. Il réussit à briser la porte à coups de pieds et courut vers l'intérieur. Tout brûlait au fond du magasin. Le corps du libraire était étendu, les pieds dans les flammes, son cœur à côté de lui, et il vit l'arrache-cœur de Chick par terre. Le feu jaillissait en grosses sphères rouges et en langues pointues qui perçaient, d'un seul coup, les murs épais de la boutique, et Nicolas se jeta à terre pour ne pas être atteint, et, à ce moment, il sentit, au-dessus de lui, le violent déplacement d'air produit par le jet extincteur des appareils des Pompeurs. Le bruit du feu redoubla pendant que le jet l'assaillait à la base. Les livres brûlaient en crépitant; les pages s'envolaient en battant, et passaient au-dessus de la tête de Nicolas, en sens inverse de celui du jet, et il pouvait respirer, tant tout cela faisait du fracas et des flammes. Il pensait qu'Alise ne serait pas restée dans le feu, mais il ne voyait pas de porte par où elle aurait pu s'en aller et le feu se débattait contre les Pompeurs et parut s'élever rapidement, dégageant la zone basse qui semblait s'étendre. Il restait au milieu des cendres sales une brillante lueur, plus brillante que les flammes.

La fumée disparut très vite, aspirée vers l'étage du dessus. Les livres s'éteignirent, mais le plafond brûlait plus fort que jamais. Il n'y avait plus, près du sol, que cette lueur.

Souillé de cendres, les cheveux noircis, respirant à

peine, Nicolas s'avança en rampant vers la clarté. Il entendait les bottes des Pompeurs qui s'affairaient. Sous une poutre de fer tordue il aperçut l'éblouissante toison blonde. Les flammes n'avaient pu la dévorer, car elle était plus éclatante qu'elles. Il l'enfouit dans sa poche intérieure et sortit.

Il marchait d'un pas mal assuré. Les Pompeurs le regardèrent partir. Le feu faisait rage aux étages supérieurs et ils s'apprêtaient à isoler le bloc des bâtiments pour le laisser brûler, car il ne restait plus de liquide extincteur.

Nicolas suivait le trottoir. Sa main droite, sur sa poitrine, caressait les cheveux d'Alise. Il entendit le bruit de la voiture du sénéchal de la police qui le dépassa. A l'arrière, il reconnut la combinaison de cuir rouge du sénéchal. En écartant un peu le revers de son veston, il se trouvait tout baigné de soleil. Seuls ses yeux restaient dans l'ombre.

LXI

Colin apercevait le trentième pilier. Il marchait, depuis le matin, dans la cave de la Réserve d'Or. Sa tâche consistait à crier quand il voyait des hommes venir voler l'or. La cave était très grande. Il fallait un jour, en allant vite, pour en faire le tour. Au centre, se trouvait la chambre blindée où l'or mûrissait lentement dans une atmosphère de gaz mortels. Ce métier rapportait beaucoup si l'on arrivait à faire le tour dans sa journée. Colin ne se sentait pas en assez bonne condition physique, et il faisait trop nuit dans la cave. Malgré lui, il se retournait de temps en temps et perdait sur l'horaire, et il ne voyait, derrière lui, que le minuscule point rayonnant de la dernière lampe, et, devant lui, la lampe suivante qui grossissait lentement.

Les voleurs d'or ne venaient pas tous les jours, mais on devait, tout de même, passer au contrôle au moment prévu, sinon, on subissait une retenue d'appointements. Il fallait respecter l'horaire pour se trouver prêt à crier quand les voleurs passaient. C'étaient des hommes d'habitudes très régulières.

Colin souffrait du pied droit. La cave, construite de dure pierre artificielle, présentait un sol rugueux et inégal. Il força un peu en dépassant la huitième ligne blanche, afin d'arriver au trentième pilier en temps voulu. Il se mit à chanter tout haut pour accompagner sa marche, et s'arrêta, car les échos lui renvoyaient des mots hachés et menaçants et chantaient un air opposé au sien.

Les jambes douloureuses, il allait, inlassablement, et dépassa le trentième pilier. Machinalement, il se retourna, croyant voir quelque chose derrière. Il perdit encore cinq secondes et fit quelques pas accélérés pour se rattraper.

LXII

On ne pouvait plus entrer dans la salle à manger. Le plafond rejoignait presque le plancher auquel il était réuni par des projections mi-végétales, mi-minérales, qui se développaient dans l'obscurité humide. La porte du couloir ne s'ouvrait plus. Seul subsistait un étroit passage menant de l'entrée à la chambre de Chloé. Isis passa la première, Nicolas la suivait. Il avait l'air hébété. Quelque chose gonflait la poche intérieure de son veston et, de temps à autre, il portait la main à sa poitrine.

Isis regarda le lit avant d'entrer dans la chambre, Chloé était toujours entourée de fleurs. Ses mains, allongées sur les couvertures, tenaient à peine une grosse orchidée blanche qui paraissait beige à côté de sa peau diaphane. Elle avait les yeux ouverts et remua à peine en voyant Isis s'asseoir près d'elle. Nicolas vit Chloé et détourna la tête. Il aurait voulu lui sourire. Il s'approcha d'elle et lui caressa la main. Il s'assit aussi et Chloé ferma doucement les yeux et les rouvrit. Elle paraissait contente de les voir.

— Tu dormais? demanda Isis à voix basse.

Chloé dit non avec ses yeux. Elle chercha la main d'Isis avec ses doigts maigres. Sous son autre main, elle cachait la souris dont ils virent briller les yeux noirs et vifs et qui trottina sur le lit pour se rapprocher de Nicolas. Il la prit délicatement et l'embrassa sur son petit museau lustré, et elle retourna près de Chloé. Les fleurs frissonnaient autour du lit, elles ne résistaient pas longtemps, et Chloé se sentait plus faible d'heure en heure.

— Où est Colin? demanda Isis.

— Travail... dit Chloé dans un souffle.

— Ne parle pas, dit Isis. Je poserai les questions autrement.

Elle approcha sa jolie tête brune de celle de Chloé et l'embrassa avec précaution.

— Il travaille à sa banque? dit-elle.

Les paupières de Chloé se fermèrent.

Et on entendit un pas dans l'entrée. Colin apparut à la porte. Il tenait de nouvelles fleurs, mais il n'avait plus de travail. Les hommes étaient passés trop tôt, il ne pouvait plus marcher. Comme il faisait de son mieux, il rapportait un peu d'argent, ces fleurs.

Chloé paraissait plus tranquille, elle souriait presque, maintenant, et Colin vint tout près d'elle. Il l'aimait beaucoup trop pour les forces qu'elle avait, maintenant, et l'effleurait à peine, de peur de la briser complètement. De ses pauvres mains encore abîmées par le travail, il lissa les cheveux sombres.

Il y avait Nicolas, Colin, Isis et Chloé. Nicolas se mit à pleurer car Chick et Alise ne viendraient jamais plus et Chloé allait si mal.

LXIII

L'administration donnait beaucoup d'argent à Colin, mais c'était trop tard. Il devait, maintenant, monter chez des gens, tous les jours. On lui remettait une liste et il annonçait les malheurs un jour avant qu'ils n'arrivent.

Tous les jours, il se rendait dans les quartiers populeux ou bien dans les beaux quartiers. Il montait des tas de marches. Il était très mal reçu. On lui lançait à la tête des objets lourds et blessants, et des mots durs et pointus, et on le mettait à la porte. Il touchait de l'argent pour cela et donnait satisfaction. Il conserverait ce travail. La seule chose qu'il pouvait faire, c'était cela, se faire mettre à la porte.

La fatigue le tenaillait, lui soudait les genoux, lui creusait la figure. Ses yeux ne voyaient plus que les laideurs des gens. Sans cesse, il annonçait les malheurs à venir. Sans cesse on le chassait, avec des coups, des cris, des larmes, des injures.

Il monta les deux marches et suivit le couloir et frappa, reculant d'un pas sitôt après. Quand les gens voyaient sa casquette noire, ils savaient et le maltraitaient, mais Colin ne devait rien dire, on le payait pour ce travail. La porte s'ouvrit. Il prévint et partit. Un lourd morceau de bois l'atteignit dans le dos.

Il chercha sur la liste le nom suivant et vit que c'était le sien. Alors, il jeta sa casquette et il marcha dans la rue et son cœur était de plomb, car il savait que, le lendemain, Chloé serait morte.

LXIV

Le Religieux parlait avec le Chuiche et Colin attendait la fin de leur conversation, puis, il s'approcha. Il ne voyait plus la terre sous ses pas et, chaque fois, il trébuchait. Ses yeux regardaient Chloé sur leur lit de noces, mate, avec ses cheveux sombres et son nez droit, son front un peu bombé, sa figure à l'ovale arrondi et doux, et ses paupières fermées qui l'avaient rejetée du monde.

— Vous venez pour l'enterrement ? dit le Religieux.

— Chloé est morte, dit Colin.

Il entendit Colin dire « Chloé est morte » et ne le crut pas.

— Je sais, dit le Religieux. Quel prix voulez-vous y mettre ? Vous désirez, sans doute, une belle cérémonie ?

— Oui, dit Colin.

— Je peux vous faire quelque chose de très bien dans

les deux mille doublezons, dit le Religieux. J'ai aussi plus cher...

— Je n'ai que vingt doublezons, dit Colin. Je pourrais peut-être en avoir trente ou quarante de plus, mais pas tout de suite.

Le Religieux remplit ses poumons d'air et souffla d'un air dégoûté.

— C'est une cérémonie de pauvre, alors, qu'il vous faut.

— Je suis pauvre... dit Colin. Et Chloé est morte...

— Oui, dit le Religieux. Mais on devrait toujours s'arranger pour mourir avec de quoi se faire enterrer décemment. Alors, vous n'avez même pas cinq cents doublezons.

— Non, dit Colin... Je pourrai arriver jusqu'à cent si vous acceptez d'être payé en plusieurs fois. Est-ce que vous vous rendez compte de ce que c'est de se dire « Chloé est morte » ?

— Vous savez, dit le Religieux, j'ai l'habitude, alors, ça ne me fait plus d'effet. Je devrais vous conseiller de vous adresser à Dieu, mais j'ai peur que pour une si faible somme, ce ne soit contre-indiqué de le déranger...

— Oh! dit Colin, je ne vais pas le déranger. Je ne crois pas qu'il puisse grand-chose, voyez-vous, parce que Chloé est morte...

— Changez de sujet, dit le Religieux. Pensez... à... je ne sais pas, moi, n'importe quoi... par exemple...

— Est-ce que pour cent doublezons j'aurai une cérémonie décente? dit Colin.

— Je ne veux même pas envisager cette solution, dit le Religieux. Vous irez bien jusqu'à cent cinquante.

— Je mettrai du temps à vous le payer.

— Vous avez un travail... vous me signerez un petit papier...

— Si vous voulez, dit Colin.

— Dans ces conditions, dit le Religieux, peut-être irez-vous jusqu'à deux cents, et vous auriez le Bedon et le Chuiche de votre côté, tandis qu'à cent cinquante ils sont dans le parti opposé.

— Je ne crois pas, dit Colin. Je crois que je n'aurai pas longtemps ce travail.

— Alors, nous disons cent cinquante, conclut le Religieux. C'est regrettable, ce sera une cérémonie véritablement infecte. Vous me dégoûtez, vous lésinez trop...

— Je m'excuse, dit Colin.

— Venez signer les papiers, dit le Religieux et il le poussa brutalement.

Colin se heurta à une chaise. Le Religieux, furieux de ce bruit, le poussa, de nouveau, vers la sacristoche et le suivit en grommelant.

LXV

Les deux porteurs trouvèrent Colin qui les attendait dans l'entrée de l'appartement. Ils étaient couverts de saleté, car l'escalier se dégradait de plus en plus. Mais ils avaient leurs plus vieux habits et n'en étaient pas à une déchirure près. On voyait, par les trous de leurs uniformes, les poils rouges de leurs vilaines jambes noueuses et ils saluèrent Colin en lui tapant sur le ventre, comme prévu au règlement des enterrements pauvres. L'entrée ressemblait maintenant à un couloir de cave. Ils baissèrent la tête pour arriver à la chambre de Chloé. Ceux du cercueil étaient partis. On ne voyait plus Chloé, mais une vieille boîte noire, marquée d'un numéro d'ordre et toute bosselée. Ils la saisirent, et s'en servant comme d'un bélier, la précipitèrent par la fenêtre. On ne descendait les morts à bras qu'à partir de cinq cents doublezons.

— C'est pour cela, pensa Colin, que la boîte a tant de bosses et il pleura parce que Chloé devait être meurtrie et abîmée.

Il songea qu'elle ne sentait plus rien et pleura plus fort. La boîte fit un fracas sur les pavés et brisa la jambe d'un enfant qui jouait à côté. On le repoussa contre le trottoir et ils la hissèrent sur la voiture à morts. C'était un vieux camion peint en rouge et un des deux porteurs conduisait.

Très peu de gens suivaient le camion, Nicolas, Isis et

Colin, et deux ou trois qu'ils ne connaissaient pas. Le camion allait assez vite. Ils durent courir pour le suivre. Le conducteur chantait à tue-tête. Il ne se taisait qu'à partir de deux cent cinquante doublezons.

Devant l'église, on s'arrêta, et la boîte noire resta là pendant qu'ils entraient pour la cérémonie. Le Religieux, l'air renfrogné, leur tournait le dos et commençait à s'agiter sans conviction. Colin restait debout devant l'autel.

Il leva les yeux : devant lui, accroché à la paroi, il y avait Jésus sur sa croix. Il avait l'air de s'ennuyer et Colin lui demanda :

— Pourquoi est-ce que Chloé est morte ?

— Je n'ai aucune responsabilité là-dedans, dit Jésus. Si nous parlions d'autre chose...

— Qui est-ce que cela regarde ? demanda Colin.

Ils s'entretenaient à voix très basse et les autres n'entendaient pas leur conversation.

— Ce n'est pas nous, en tout cas, dit Jésus.

— Je vous avais invité à mon mariage, dit Colin.

— C'était réussi, dit Jésus, je me suis bien amusé. Pourquoi n'avez-vous pas donné plus d'argent, cette fois-ci ?

— Je n'en ai plus, dit Colin, et puis, ce n'est plus mon mariage, cette fois-ci.

— Oui, dit Jésus.

Il paraissait gêné.

— C'est très différent, dit Colin. Cette fois, Chloé est morte... Je n'aime pas l'idée de cette boîte noire.

— Mmmmmm... dit Jésus.

Il regardait ailleurs et semblait s'ennuyer. Le Religieux tournait une crécelle en hurlant des vers latins.

— Pourquoi l'avez-vous fait mourir ? demanda Colin.

— Oh !... dit Jésus. N'insistez pas.

Il chercha une position plus commode sur ses clous.

— Elle était si douce, dit Colin. Jamais elle n'a fait le mal, ni en pensée, ni en action.

— Ça n'a aucun rapport avec la religion, marmonna Jésus en bâillant.

Il secoua un peu la tête pour changer l'inclinaison de sa couronne d'épines.

— Je ne vois pas ce que nous avons fait, dit Colin. Nous ne méritions pas cela.

Il baissa les yeux. Jésus ne répondit pas. Colin releva la tête. La poitrine de Jésus se soulevait doucement et régulièrement. Ses traits respiraient le calme. Ses yeux s'étaient fermés et Colin entendit sortir de ses narines un léger ronronnement de satisfaction, comme un chat repu. A ce moment, le Religieux sautait d'un pied sur l'autre et soufflait dans un tube, et la cérémonie était finie.

Le Religieux quitta le premier l'église et retourna dans la sacristoche mettre de gros souliers à clous.

Colin, Isis et Nicolas sortirent et attendirent derrière le camion.

Alors, le Chuiche et le Bedon apparurent, richement vêtus de couleurs claires. Ils se mirent à huer Colin et dansèrent comme des sauvages autour du camion. Colin se boucha les oreilles mais il ne pouvait rien dire, il avait signé l'enterrement des pauvres. et il ne bougea même pas en recevant les poignées de cailloux.

LXVI

Ils marchèrent pendant très longtemps dans les rues. Les gens ne se retournaient plus et le jour baissait. Le cimetière des pauvres était très loin. Le camion rouge roulait et sautait sur les inégalités du chemin, pendant que le moteur lâchait de joyeuses pétarades.

Colin n'entendait plus rien, il vivait en arrière et souriait quelquefois, il se rappelait tout. Nicolas et Isis marchaient derrière lui. Isis touchait de temps en temps l'épaule de Colin.

La route s'arrêta et le camion aussi, c'était l'eau. Les porteurs descendirent la boîte noire. Colin venait au cimetière pour la première fois ; il était situé dans une île de forme indécise, dont les contours changeaient souvent avec le poids de l'eau. On la distinguait vaguement à travers les brouillards. Le camion resta sur le bord; on accédait à l'île par une longue planche souple et grise dont l'extrémité lointaine disparaissait dans la brume. Les porteurs lâchèrent de gros jurons et le premier s'engagea sur la planche, elle était juste assez large pour qu'on y passe. Ils tenaient la boîte noire avec de larges courroies de cuir brut qui leur passaient sur les épaules en faisant un tour autour du cou et le second porteur commençait à suffoquer, il devenait tout violet; sur le gris du brouillard, cela faisait très triste. Colin suivit; Nicolas et Isis se mirent, à leur tour, en marche le long de la planche; le premier porteur piétinait exprès pour la secouer et la balancer de droite et de gauche. Il disparut au milieu d'une vapeur qui s'effilochait comme des filets de sucre dans l'eau d'un sirop. Leurs pas résonnaient sur la planche en gamme descendante, et, peu à peu, elle s'incurva, ils approchaient du centre; lorsqu'ils y passèrent, elle toucha l'eau et des vaguelettes symétriques clapotèrent des deux côtés; l'eau la recouvrait presque; elle était sombre et transparente, Colin se pencha à droite, il regarda vers le fond, il croyait voir une chose blanche remuer vaguement dans la profondeur; Nicolas et Isis s'arrêtèrent derrière lui, ils étaient comme debout sur l'eau. Les porteurs continuaient, la seconde moitié du chemin montait, et quand ils eurent dépassé le milieu, les petites vagues diminuèrent et la planche se décolla de l'eau avec un bruit de succion.

Les porteurs se mirent à courir. Ils tapaient des pieds et les poignées de la boîte noire sonnaient contre les parois. Ils arrivèrent à l'île avant Colin et ses amis et s'engagèrent pesamment dans le petit sentier bas dont deux haies de plantes sombres formaient les côtés. Le sentier décrivait des sinuosités bizarres, aux formes désolées, et le sol était poreux et friable. Il s'élargit un peu. Les feuilles des plantes tournaient au gris léger et les nervures ressortaient en or sur leur chair veloutée. Les arbres, longs et flexibles, retombaient en arc d'un bord à l'autre du chemin. A travers la voûte ainsi formée, le jour produisait un halo blanc, sans éclat. Le sentier se divisa en plusieurs branches et les porteurs prirent à droite sans hésitation, Colin, Isis et Nicolas se hâtaient pour les rattraper. On n'entendait pas d'animaux dans les arbres. Seules, des feuilles grises se détachaient parfois pour tomber lourdement sur le sol. Ils suivirent les ramifications du chemin. Les porteurs lançaient des coups de pied dans les arbres et leurs lourdes chaussures marquaient, sur l'écorce spongieuse, de profondes meurtrissures bleuâtres. Le cimetière était juste au milieu de l'île ; en grimpant sur les pierres, on pouvait, par-delà le sommet des arbres malingres, entrevoir, loin, vers l'autre rive, le ciel, croisé de noir, et marqué par le vol pesant des alérions sur les champs de morgeline et d'aneth.

Les porteurs s'arrêtèrent près d'un grand trou ; ils se mirent à balancer le cercueil de Chloé en chantant *A la salade*, et ils appuyèrent sur le déclic. Le couvercle s'ouvrit et quelque chose tomba dans le trou avec un grand craquement ; le second porteur s'écroula, à moitié étranglé, parce que la courroie ne s'était pas détachée assez vite de son cou. Colin et Nicolas arrivèrent en courant, Isis trébuchait derrière. Alors le Bedon et le Chuiche, en vieilles salopettes pleines d'huile, sortirent tout à coup de derrière un tumulus et se mirent à hurler comme des loups en jetant de la terre et des pierres dans la fosse.

Colin était affaissé à genoux. Il avait la tête dans ses mains, les pierres faisaient un bruit mat en tombant, le Chuiche, le Bedon et les deux porteurs se donnèrent la main, ils firent une ronde autour du trou, et puis soudain, ils filèrent vers le sentier et disparurent en farandole. Le Bedon soufflait dans un gros cromorne et les sons rauques vibraient dans l'air mort. La terre s'éboulait peu à peu, et au bout de deux ou trois minutes, le corps de Chloé avait complètement disparu.

LXVII

La souris grise à moustaches noires fit un dernier effort et réussit à passer. Derrière elle, d'un coup, le plafond

rejoignit le plancher et de longs vermicules de matière
inerte jaillirent en se tordant lentement par les interstices
de la suture. Elle déboula en toute hâte à travers le couloir
obscur de l'entrée dont les murs se rapprochaient l'un de
l'autre en flageolant, et parvint à filer sous la porte. Elle
atteignit l'escalier, le descendit; sur le trottoir, elle
s'arrêta. Elle hésita un instant, s'orienta, et se mit en route
dans la direction du cimetière.

LXVIII

— Vraiment, dit le chat, ça ne m'intéresse pas énormément.

— Tu as tort, dit la souris. Je suis encore jeune, et
jusqu'au dernier moment, j'étais bien nourrie.

— Mais je suis bien nourri aussi, dit le chat, et je n'ai
pas du tout envie de me suicider, alors tu vois pourquoi je
trouve ça normal.

— C'est que tu ne l'as pas vu, dit la souris.

— Qu'est-ce qu'il fait? demanda le chat.

Il n'avait pas très envie de le savoir. Il faisait chaud et
ses poils étaient tous bien élastiques.

— Il est au bord de l'eau, dit la souris, il attend, et
quand c'est l'heure, il va sur la planche et il s'arrête au
milieu. Il voit quelque chose.

— Il ne peut pas voir grand-chose, dit le chat. Un
nénuphar, peut-être.

— Oui, dit la souris, il attend qu'il remonte pour le
tuer.

— C'est idiot, dit le chat. Ça ne présente aucun intérêt.

— Quand l'heure est passée, continua la souris, il
revient sur le bord et il regarde la photo.

— Il ne mange jamais? demanda le chat.

— Non, dit la souris, et il devient très faible, et je ne
peux pas supporter ça. Un de ces jours, il va faire un faux
pas en allant sur cette grande planche.

— Qu'est-ce que ça peut te faire? demanda le chat. Il
est malheureux, alors?...

— Il n'est pas malheureux, dit la souris, il a de la peine. C'est ça que je ne peux pas supporter. Et puis il va tomber dans l'eau, il se penche trop.

— Alors, dit le chat, si c'est comme ça je veux bien te rendre ce service, mais je ne sais pas pourquoi je dis « si c'est comme ça », parce que je ne comprends pas du tout.

— Tu es bien bon, dit la souris.

— Mets ta tête dans ma gueule, dit le chat, et attends.

— Ça peut durer longtemps? demanda la souris.

— Le temps que quelqu'un me marche sur la queue, dit le chat; il me faut un réflexe rapide. Mais je la laisserai dépasser, n'aie pas peur.

La souris écarta les mâchoires du chat et fourra sa tête entre les dents aiguës. Elle la retira presque aussitôt.

— Dis donc, dit-elle, tu as mangé du requin, ce matin?

— Écoute, dit le chat, si ça ne te plaît pas, tu peux t'en aller. Moi, ce truc-là, ça m'assomme. Tu te débrouilleras toute seule.

Il paraissait fâché.

— Ne te vexe pas, dit la souris.

Elle ferma ses petits yeux noirs et replaça sa tête en position. Le chat laissa reposer avec précaution ses canines acérées sur le cou doux et gris. Les moustaches noires de la souris se mêlaient aux siennes. Il déroula sa queue touffue et la laissa traîner sur le trottoir.

Il venait, en chantant, onze petites filles aveugles de l'orphelinat de Jules l'Apostolique.

Memphis, 8 mars 1946.
Davenport, 10 mars 1946.

UN LANGAGE-UNIVERS

Une postface, si l'on y réfléchit un peu, est une entreprise fort contestable. En effet, on n'a guère envie de la lire que si l'on a aimé le livre qu'elle accompagne. Et, si l'on a aimé ce livre, on n'a plus grand-chose à apprendre, puisque l'essentiel est d'aimer.

Au reste, il ne s'agit pas ici d'apprendre à personne quoi que ce soit. Les tentatives d'explication sont vouées d'avance à l'échec — si ce n'est à la malédiction. Tout au plus a-t-on le droit et les moyens de formuler quelques remarques, les plus évidentes qu'il se pourra. L'au-delà des évidences est une affaire personnelle, un compte sans paroles à régler entre le lecteur et l'auteur. Car la poésie ouvre sur un domaine réservé qu'aucune analyse ne résoudra jamais. On le savait déjà, et c'est la première des évidences promises.

***

Tout écrivain refait le monde, soit parce qu'il est impuissant à restituer parfaitement une réalité dont la structure complexe échappe à la parole, soit parce qu'il a envie de libérer ses démons familiers. On observe, de la fidélité au réel à la fiction totale, toutes les nuances, au point que l'on pourrait classer et définir les écrivains d'après leur monde imaginaire. Cependant, à travers des

177

différences souvent considérables (de la tranche de vie au conte de fées), les écrivains ont toujours évolué à l'intérieur d'un même ensemble logique, ensemble régi, à peu de choses près, par les lois aristotéliciennes, et dans lequel le système des causes et des effets ne souffre aucune contestation. L'introduction de la féerie dans cet ensemble ne suffit pas à le mettre en cause : elle détermine seulement une sorte de translation superficielle, elle établit un nouveau système de rapports dont certains éléments diffèrent du nôtre, mais qui, dans son essence même, reste analogue à celui que nous utilisons tous les jours. Ainsi, les tapis volent, des bottes franchissent sept lieues à la fois, des humains se transforment en animaux, ou dorment pendant cent ans, voilà pour le surnaturel. Mais ce surnaturel est inséré dans une trame parfaitement quotidienne, où les bateaux ont des voiles et non des pattes, où les anguilles se pêchent dans l'océan et non dans les robinets, où les hommes gagnent leur vie en semant du blé et non des canons de fusils. Autrement dit, l'existence d'une baguette magique une fois admise, rien d'inattendu ne peut plus arriver, aucun conte de fées ne peut réellement nous déconcerter.

A lire *l'Écume des Jours*, on a sans doute constaté qu'il n'en va pas tout à fait de même avec le monde décrit par les œuvres de Boris Vian. Ce monde est d'une cohérence extrême (sans quoi il serait inhabitable, même pour des personnages de roman), mais ses lois, fondamentalement différentes des nôtres, ne nous sont pas toutes connues. D'où vint cet étonnement, cette inquiétude, cette angoisse que nous ressentons peu à peu. Nous comprenons, d'une manière de plus en plus précise, que tout peut arriver dans ce monde, et singulièrement ce que nous n'avons pas prévu. Notons, cependant, que les personnages de Boris Vian ne manifestent pas notre incompréhension : cet univers est le leur. Ils s'y comportent comme nous dans le nôtre ; leur conduite nous est familière, et c'est ce qui nous les rend proches, sympathiques, fraternels.

On aura reconnu que ce monde de Boris Vian est entièrement fondé sur le langage, c'est-à-dire : naît de lui, et trouve en lui chacune de ses justifications. Ainsi, le Verbe est bien devenu Dieu.

On admirera, ici, qu'une œuvre où lieux communs et proverbes tiennent autant de place soit couronnée par la phrase-clé de la sagesse et de l'inquiétude des nations. On remarquera également ce qui sépare Boris Vian des autres écrivains : alors qu'ils construisaient un univers, il se borne à le découvrir. En effet, à l'imitation du monde mathématique (si l'on croit ce qu'en dit Raymond Queneau dans *Odile*), l'univers du langage ne s'élabore pas, mais s'explore : l'œuvre ne peut pas lui donner naissance, puisqu'il précède toute œuvre, puisque sans lui aucune œuvre ne pourrait voir le jour.

★

Boris Vian part à la découverte du langage à l'aide de trois méthodes différentes.

La première consiste à refuser toute figure de style et à prendre le langage au pied de la lettre. Ainsi, on *exécutera* une ordonnance au moyen d'une petite guillotine de bureau, un homme *planté là* prendra racine pour peu que le terrain s'y prête, un escalier *se dérobera* effectivement sous les pas. Ainsi (mais à l'inverse), on s'excuse de n'avoir pas aiguisé comme il le faudrait une *pointe d'ail*, on s'indigne à l'idée qu'un garçon utilisera un *pourboire* pour manger.

Une deuxième démarche conduit à des « demi-créations » de mots. Il s'agit, soit de mots existant déjà et utilisés dans un sens détourné (c'est le cas des oiseaux appelés *alérions*), soit de mots subissant des déformations légères, comme *Chevêche, Chuiche, Bedon, antiquitaire, sacristoche*.

En troisième lieu, enfin, Boris Vian se livre à des créations totales. On peut encore, ici, faire la différence entre des mots nouveaux désignant des objets existants (le *députodrome*), et des mots nouveaux désignant des choses nouvelles (le *pianocktail*).

On pourrait presque définir une quatrième méthode, celle du « jeu de mots », si la plupart des plaisanteries

179

langagières de Vian ne pouvaient s'intégrer à l'un ou à l'autre des trois points précédents, si elles ne constituaient pas des sortes de *bis* des trois précédentes démarches. C'est ainsi que : *Poussez le feu et, sur l'espace ainsi gagné*, ou : *Se retirer dans un coing* se rattachent à la première méthode ; *Un portecuir en feuilles de Russie* à la seconde. Mais où classerons-nous cette phrase énigmatique : *Je passe le plus clair de mon temps à l'obscurcir parce que la lumière me gêne ?* C'est ici que le mystère commence.

[*]

On aurait tort, en effet, de ne voir là qu'un simple exercice verbal. D'ailleurs, je suppose qu'on s'est bien gardé de le faire. Il a suffi de vingt pages, sans doute, pour qu'une sorte d'angoisse ait commencé à naître, pour que l'on ait senti, de plus en plus précisément, que le jeu n'est pas drôle, que la tragédie remplace peu à peu la comédie, qu'aux pièges du Verbe fait Dieu l'homme risque de se laisser prendre.

On peut alors parler de *mystère*, et proposer d'abord deux définitions simples, afin d'éviter toute ambiguïté.

Nous appellerons *mystère* un événement que nous ne comprenons pas et dont personne ne possède la clé ; nous appellerons *mystification* un événement que nous ne comprenons pas davantage, mais dont quelqu'un possède la clé. Ainsi, si Dieu n'existe pas, la création est un mystère ; s'il existe, c'est une mystification.

On constate très vite (ou plutôt : on sait déjà) que le mystère n'est pas toujours surnaturel, bien au contraire : tous les phénomènes naturels restent des mystères tant qu'on n'en a pas démonté le mécanisme.

Dans le cas des poètes, une situation analogue peut se produire. Il n'est pas exclu qu'un poète soit « dépassé » par la mécanique qu'il met en œuvre ; que, par exemple, de la suite des événements qu'il déclenche (et qui découleront, fatalement, les uns des autres), naissent des significations qu'il n'avait pas prévues, et qui lui restent obscures autant qu'à nous. On ne saurait alors parler de

180

mystification. Or, c'est précisément une démarche parfaitement logique qui détermine le déroulement dramatique de *l'Écume des Jours*. La mécanique est aussi rigoureuse, aussi implacable que celle d'une tragédie antique. Du jour où Colin rencontre Chloé, leur destin se met en route et ne saurait plus être modifié.

***

On aurait tort de ne voir là qu'un simple exercice verbal, car dénoncer l'absurdité (selon une conception réaliste) du langage, le « mettre en question » comme on aime à le dire aujourd'hui, c'est mettre en question le monde — ou, plutôt, la société qui est le monde tel que les hommes le conçoivent. En effet, ce monde et cette société s'appuient largement sur les vertus (et les vices) du langage. Les rapports que les hommes ont établis entre eux sont régis par des conventions purement langagières. Que l'on affirme assez haut par exemple, que *l'argent ne fait pas le bonheur,* et cette proposition, parfaitement stupide dans l'absolu (si l'on n'a pas défini, au préalable, *argent* et *bonheur*) deviendra vraie. Il suffit, enfin, de réfléchir un moment sur l'origine des religions pour découvrir quelle somme de conséquences morales, sociales, économiques et autres peuvent naître d'un phénomène uniquement verbal. (C'est peut-être le sens véritable de : *Et le Verbe était Dieu.* L'auteur des Livres Saints a placé la clé de son temple à la voûte, comme il se doit.)

Proverbes, idiotismes, lieux communs formant l'armature du langage, les mettre à l'épreuve de la réalité constitue un commencement de réfutation. C'est une autre façon, plus subtile et, par là même, plus convaincante, de dénoncer les abus d'une société mal faite. Jouer avec les mots peut participer de la même entreprise générale.

C'est, tout au moins, ce qu'ont imaginé et pensé démontrer quelques admirateurs de Boris Vian. Il s'agissait de savoir, en d'autres termes, jusqu'à quel point Boris Vian peut être considéré comme un écrivain « réformateur ».

Le langage ainsi poussé à bout peut déterminer bien des obscurités que l'on prendra, selon son tempérament, pour des symboles, pour des foutaises, ou pour argent comptant. Les symboles, beaucoup de lecteurs en ont trouvé des foules dans l'œuvre de Boris Vian. Et il faut reconnaître que la tentation en est grande, ne serait-ce que pour démontrer que cette œuvre signifie quelque chose, aux dédaigneux hausseurs d'épaules qui prétendent qu'elle ne signifie rien. Citons, pour prendre un exemple simple, *les Bâtisseurs d'Empire*. Au cours de cette pièce, une famille fuit, d'étage en étage, à l'intérieur d'une maison. Que fuit-elle? Nous n'en savons rien, sinon que ce « quelque chose » est matérialisé par un bruit qui remplit la famille de terreur. A chaque étage, elle perd un ou plusieurs de ses membres et trouve un logement de plus en plus réduit, sombre et misérable. Le père parvient au dernier étage et, n'ayant plus aucun recours contre le bruit qui le poursuit toujours, se jette par la fenêtre. De cette trame dramatique, on a dit tout à tour qu'elle symbolisait : l'égoïsme et l'aveuglement bourgeois traqués par l'Histoire (ou le Progrès, ou la Révolution); l'angoisse grandissante du cardiaque suffoqué par des crises de plus en plus fréquentes et précises; la défaite de l'Homme étranglé par la Robotisation, etc..., toutes interprétations intéressantes, respectables et nullement limitatives.

D'autres admirateurs plus puristes et plus intransigeants de cette œuvre, agacés par l'aspect primaire de certaines interprétations (car la poésie disparaît souvent derrière tel commentaire utilitaire), ont déclaré que Boris Vian n'était pas homme à se laisser tenter par une activité aussi élémentaire que le maniement des symboles, qu'il est excessif de lui prêter des intentions moralisantes cachées sous des images d'Épinal, qu'enfin il n'a pas voulu dire autre chose que ce qu'il a dit. Cette réaction est aussi intéressante que les précédentes, et sans doute plus saine, puisqu'elle respecte davantage l'écrivain, puisqu'elle ne tente pas de pénétrer tel secret qu'il n'aura pas consenti à nous livrer clairement. Je crains, cependant, que ce raisonnement-ci ne soit aussi simpliste que ce raisonnement-là.

En effet, les uns, ne comprenant pas, cherchent un moyen de comprendre et croient l'avoir trouvé ; les autres, ne comprenant pas davantage, en concluent qu'il n'y a rien à comprendre. Les uns penchent pour la mystification, les autres pour le mystère.

Pour ma part, j'ai le sentiment que Boris Vian détestait trop que les mots fussent limités à leur sens immédiat (il en a donné cent exemples) pour n'avoir pas voulu dire un peu plus qu'il n'en disait, pour n'avoir pas caché quelque chose derrière (ou à travers) un langage littéralement limpide. Le fait que l'on ne saura jamais *quoi* ne peut suffire à en nier l'existence ; ne peut, du même coup, décider pour le mystère ou la mystification, puisque l'on ne saura jamais non plus jusqu'à quel point le poète fut lucide ou possédé.

✲✲✲

Si l'on se réfère à *l'Écume des Jours,* on verra en effet, que tous les éléments de ce roman présentent cette ambiguïté.

Le nénuphar qui ronge les poumons de Chloé *peut* symboliser deux ou trois maladies que nous connaissons bien, et singulièrement la tuberculose. Mais il s'inscrit, également, dans l'expression logique d'un monde où des fleurs poussent sur les trottoirs.

L'amenuisement de la maison de Colin *peut* symboliser le rétrécissement d'un univers mental obsédé par la maladie d'un être aimé. (Quand « on voit la vie en noir », elle s'assombrit réellement.) Mais il ne surprend pas dans un univers où les escaliers se dérobent, où les cravates refusent de se laisser nouer, où les vitres brisées se cicatrisent toutes seules.

Colin faisant pousser, avec la chaleur de son ventre, des canons de fusils semés sur une terre stérile *peut* symboliser l'absurdité des hommes qui dépensent l'essentiel de leur énergie à se détruire mutuellement. (Et que penser de la rose épanouie au sommet des fusils défectueux?) Mais il participe aussi d'une réalité prosaïque où des enfants sont égorgés par un vrai boucher dans une vitrine de propagande pour l'Assistance Publique.

Le Chuiche et le Bedon qui dansent sur la tombe de Chloé, parce que Colin n'a plus assez d'argent pour payer un riche enterrement, *peuvent* symboliser l'âpreté de telle religion avare et dure aux pauvres gens. Mais elle s'harmonise avec cette société singulière dont le folklore ne parvient jamais à nous devenir familier.

C'est parce que chaque événement possède à la fois une valeur symbolique (référence à un monde préexistant) et une valeur dramatique (élément nécessaire à la logique interne du roman), c'est parce qu'il présente cette ambivalence qu'il nous inquiète, car l'esprit humain a naturellement besoin de certitudes. Mais aucune réponse ne pourra venir satisfaire notre curiosité. Mieux vaut, sans doute, ne plus nous poser de questions. Mieux vaut parier pour le mystère, puisque c'est parier pour la poésie.

★*★

Lorsqu'on referme *l'Écume des Jours,* ce qui frappe les premiers souvenirs est l'étonnante pureté des héros. Ces personnages, qui sont de jeunes adultes, ont une âme d'adolescents. Cette pureté se retrouve dans un seul personnage, d'ailleurs épisodique, de *l'Arrache-Cœur* (et c'est Angel), mais dans trois héros de *l'Automne à Pékin* (Angel encore — mais est-ce vraiment le même? — l'archéologue et l'abbé).

Une âme d'adolescents, cela signifie que les événements les touchent profondément, que leurs sentiments — émerveillement, douleur, amour — atteignent le degré le plus haut. Cela signifie aussi qu'ils ne connaissent pas encore les vices de l'âge mûr, qui sont les vices de la civilisation. Ils se conduisent de la manière la plus naturelle qui soit, et la nature étant naturellement bonne,

184

leur conduite est saine, noble, généreuse. On est gêné par les relents de moralisme romantique qui apparaissent dans une analyse aussi schématique. N'oublions pas, cependant, que notre gêne naît à travers le langage et du langage même. Dans le mouvement du roman, la conduite des héros de *l'Écume des Jours* ne présente jamais ce caractère excessif, et c'est pour une raison bien simple : ils vivent leur morale, mais n'en parlent jamais.

J'ai dit « *une* âme d'adolescents », et ce n'est pas par hasard. Car les six héros de *l'Écume des Jours* (trois hommes et trois femmes, c'est-à-dire six couples) sont identiques et rigoureusement interchangeables. Ils pensent de la même façon, aiment les mêmes choses, rient pour les mêmes raisons, souffrent par sym-pathie. Il s'agit, au fond, du même personnage placé trois fois dans une enveloppe masculine, trois fois dans une enveloppe fémi-nine, et dans six différentes situations. A la fin du chapitre XLI, Chloé, déjà malade, dit à Alise, venue lui rendre visite : « Si je n'étais pas mariée avec Colin, je voudrais que tu sois sa femme. » On se dit, en souriant un peu, que la substitution ne serait pas difficile et ne changerait absolument rien, d'autant moins qu'elles sont toutes deux destinées à mourir bientôt.

Cette identité profonde contribue à l'unité du roman, permet d'en resserrer au maximum la trame dramatique, accentue la ressemblance avec une tragédie. Le destin, au lieu d'être distrait par six personnages différents, peut concentrer toute son attention et faire, d'une seule flèche, quatre victimes (cinq, en comptant la souris).

***

Cette pureté qui unit les six héros de *l'Écume des Jours* n'est pas assez éloignée de l'innocence pour les empêcher de subir les coups de la fatalité. Ils souffrent, pour eux-mêmes ou par amour des autres, mais ne tentent guère de réagir. Dans *l'Automne à Pékin*, au contraire, si Angel subit, lui aussi, le destin, l'archéologue et l'abbé lui résistent, se moquent de lui, le prennent à la légère et en

185

sont, finalement, victorieux. On constatera que ce sont des gens âgés, qui ont probablement ce que l'on appelle « de l'expérience », voire « une certaine philosophie ». Cette sagesse simple, pleine de bon sens et d'humour (car l'abbé est un abbé fort singulier) reste maîtresse du terrain, contre les hommes et contre les éléments.

*
* *

On pourrait faire encore de nombreuses remarques, toutes plus évidentes que celles qui précèdent — ou moins, suivant la subtilité que l'on déploierait. Quelques-unes concerneraient l'amour, et pas seulement celui que l'on fait *de toutes les façons, avec de jolies filles,* comme le précise l'avant-propos de *l'Écume des Jours,* mais aussi l'amitié, l'affection, la tendresse, enfin tout ce qui fait dire à Raymond Queneau, dans la préface de *l'Arrache-Cœur,* que *l'Écume des Jours* est « le plus poignant des romans d'amour contemporains ».

Certaines de ces remarques parleraient de la musique de jazz et de la place qu'elle a tenue dans la vie et les œuvres de Boris Vian.

D'autres encore diraient quelques mots de la Pataphysique. Cela serait peut-être peine perdue. Car ceux qui la connaissent savent du même coup quel amour et quel dévouement unissaient au Collège celui qui en était un des Transcendants Satrapes ; ils savent aussi que toute son œuvre est soumise, consciemment ou inconsciemment (ce qui est une même chose) aux lois pataphysiques. Et ceux qui ne la connaissent pas risqueraient de n'être guère plus avancés, car on n'appréhende pas la Pataphysique en quelques lignes et quelques secondes.

D'autres, enfin, s'efforceraient probablement de tirer la morale de l'histoire. « La morale », c'est une façon de parler, bien sûr. Car : *Il faut se garder d'en déduire des règles de conduite,* nous prévient l'avant-propos déjà cité. Mais l'on peut espérer qu'une note inédite de Boris Vian sur *l'Écume des Jours* nous permettra de découvrir une clé. La voici :

Dans la préface, rappeler qu'il y a deux périodes, celle où l'on s'habille soigneusement, et alors la vie consiste à s'habiller presque tout le temps, c'est avant qu'on soit marié, et on guette, le samedi soir, la venue du bouton qu'on aura sur le nez le dimanche, et ensuite on est plus tranquille, c'est-à-dire qu'on commence à avoir des malheurs parce qu'on a cessé de ne penser qu'à soi.

Jacques Bens

REPÈRES BIO-BIBLIOGRAPHIQUES

10 mars 1920 : Naissance à Ville-d'Avray de Boris Paul Vian. Il aura deux frères et une sœur. Son père est rentier et le restera jusqu'en 1929.

1932 : Début de rhumatisme cardiaque. En 1935, typhoïde mal traitée.

1935-1939 : Baccalauréat latin-grec, puis math élém. Prépare le concours d'entrée à l'École Centrale. S'intéresse au jazz et organise des surprises-parties.

1939 : Entre à Centrale. En sort en juin 1942 avec un diplôme d'ingénieur.

1941 : Épouse Michelle Léglise. Commence *Les Cent Sonnets*.

1942 : Naissance d'un fils, Patrick.
Entre comme ingénieur à l'AFNOR.

1943 : Écrit *Trouble dans les Andains* (publié en 1966). Devient trompettiste dans l'orchestre de jazz amateur de Claude Abadie qui poursuivra sa carrière jusqu'en 1950.

1944-1945 : Publie ses premiers textes sous les pseudonymes de Bison Ravi et Hugo Hachebuisson. Termine *Vercoquin et le plancton* (publié en 1947). Fait la connaissance de Raymond Queneau.

Début 1946 : Quitte l'AFNOR pour travailler à l'Office du Papier. Termine le manuscrit de *l'Écume des jours* (publié en 1947). Rencontre Simone de Beauvoir et Sartre.

Mai-juin 1946 : Commence la Chronique du menteur aux *Temps modernes.*
Candidat au Prix de la Pléiade pour *l'Écume des jours,* ne le reçoit pas malgré le soutien notamment de Queneau et Sartre.

Août 1946 : Rédige *J'irai cracher sur vos tombes* qui est publié en novembre sous le nom de Vernon Sullivan et devient le bestseller de l'année 1947.

Septembre-novembre 1946 : Écrit *l'Automne à Pékin* (publié en 1947).

1947 : Devient en juin le trompette et l'animateur du « Tabou ».
Écrit *l'Équarrissage pour tous.*
Vernon Sullivan signe *Les morts ont tous la même peau.*

1948 : Naissance d'une fille, Carole.
Adaptation théâtrale de *J'irai cracher.*
Barnum's Digest ; Et on tuera tous les affreux (le 3e Sullivan).

1949 : Interdiction de *J'irai cracher* (roman) *Cantilènes en gelée ; les Fourmis.* Période de crise.

1950 : Condamnation pour outrage aux mœurs à cause des deux premiers Sullivan.
Représentation de *l'Équarrissage* (publié peu après avec le *Dernier des Métiers*). *L'Herbe rouge* (commencé en 1948); *Elles se rendent pas compte* (Sullivan). Mise au point du *Manuel de Saint-Germain-des-Prés* (publié en 1974).

1951 : Écrit *le Goûter des Généraux,* représenté en 1965.

1952 : Nommé Équarrisseur de 1re classe par le Collège de Pataphysique. Devient plus tard Satrape.
Divorce d'avec Michelle. Période de traductions.
Écrit la plupart des poèmes de *Je voudrais pas crever* (publié en 1962).

1953 : *le Chevalier de Neige,* spectacle de plein air, présenté à Caen.

L'Arrache-Cœur (terminé en 1951).

1954 : Mariage avec Ursula Kubler, qu'il avait rencontrée en 1950.

1954-1959 : Période consacrée à des tours de chant, des productions de disques, etc. Écrit de nombreuses chansons dont *le Déserteur*, des comédies musicales, des scénarios de films.

1956 : *l'Automne à Pékin*, version remaniée.

1957 : ~~le Chevalier de Neige, opéra, musique de Georges~~ Delerue, créé à Nancy. Vian écrit *les Bâtisseurs d'Empire* (publié et joué en 1959).

1958 : *Fiesta*, opéra, musique de Darius Milhaud, créé à Berlin.
Parution d'*En avant la Zizique*. Fin de la revue de presse donnée depuis 1947 dans *Jazz-Hot*.

1959 : Démêlés avec les réalisateurs du film *J'irai cracher sur vos tombes*. Rôles dans des films.

23 juin 1959 : Mort apparente du Transcendant Satrape.